海河流域平原区堤防工程地质研究

杨计申　李彦坡　等　著

黄河水利出版社

内 容 提 要

本书以翔实的资料论述了海河流域平原区堤防工程的地质环境,针对堤防工程的特点,提出了堤基土(地质体)与堤身土(工程体)的区别,以及各自存在的主要工程地质问题。针对堤防工程质量检查的特殊性,提出了勘察工作设计思路和方法。为便于大江、大河流域防洪规划设计的需要,对堤防工程质量的分类标准和方法进行了探讨和论述,经海河流域防洪规划设计使用,收到了很好的效果。

本书具有较强的工程实用性,可供大专院校教学和水利工程技术人员参考。

图书在版编目(CIP)数据

海河流域平原区堤防工程地质研究/杨计申,李彦坡等著
—郑州:黄河水利出版社,2004.12
ISBN 7 - 80621 - 861 - 0

Ⅰ.海… Ⅱ.①杨…②李… Ⅲ.海河—流域—平原—堤防—工程地质—研究 Ⅳ.TV871

中国版本图书馆 CIP 数据核字(2004)第 121029 号

出 版 社:黄河水利出版社
　　　　　　地址:河南省郑州市金水路 11 号　　邮政编码:450003
发行单位:黄河水利出版社
　　　　　发行部电话及传真:0371 - 6022620
　　　　　E - mail:yrcp@public.zz.ha.cn
承印单位:河南第二新华印刷厂
开本:787mm×1 092 mm　1/16
印张:11.5
字数:261 千字　　　　　　　　　　印数:1—1 500
版次:2004 年 12 月第 1 版　　　　印次:2004 年 12 月第 1 次印刷

书号:ISBN 7 - 80621 - 861 - 0/TV·382　　　　　　定　价:26.00 元

序

海河流域包括海河、滦河、马颊河三大河系,流域面积 31.8 万 km²。为了根治海河、兴利除弊,确保海河流域特别是平原区人民生命财产的安全,新中国成立以来,流域内修筑堤防总长 20 000 km(相当于全国堤防总长的 1/10),在防洪、灌溉、城市供水等方面发挥了巨大的效益。

1998 年,长江、松花江流域相继发生了特大洪水,给人民生命财产造成了极大的损失,同时暴露出许多工程质量问题和工程隐患,引起了党和政府的极大关注。海河流域在"63·8"大水之后近 40 年虽未有大洪水发生,但从历史上看仍是水、旱灾害频发地区。海河流域堤防工程大多修建于 20 世纪 60 年代,虽经不断加固,仍存在断面不足、填筑质量差、堤身隐患多、基础防渗差等问题。

杨计申同志 40 余年来一直坚持在水利水电工程地质勘察第一线,先后主持和参加了潘家口水库、引滦入津工程、万家寨引黄入晋工程、石漫滩水库、黄河大柳树水利枢纽、沙坡头水利枢纽、密云水库加固、雾灵山抽水蓄能电站、桃花寺抽水蓄能电站、刚果英布鲁水电站、海河流域平原区堤防工程质量调查等多项大中型水利水电工程项目的工程地质、水文地质勘察工作,其成果获得多项国家级或省部级工程勘察金奖和银奖。

《海河流域平原区堤防工程地质研究》一书,是作者工程勘察实践的总结。针对堤防工程的特点,作者提出了堤身土是"工程体"的新理念,在堤防工程勘察中,对堤基土和堤身土体不能等同相待,而应采取不同的、有针对性的勘察手段和评价标准。鉴于堤身土体质量分布的随机性特点,本书采用运行管理—施工工艺—设计标准—地质勘察结论的反衍思路,提出了地质、钻探、物探和土工试验方法组合,尤其土工试验与物探相结合,是一个突出的特点,值得研究和推广。

书中运用黏性土结合水渗透理论,解释了浸没、散浸和渗漏等工程地质、水文地质问题,并提出了求取起始水力坡降(I_0)试验方法等。书中还提出了对堤防工程进行质量评价和分级的方法,并被有关单位引用。

我与作者长期共事,深知他们在多年的工程勘测设计、施工与监测管理工作中,积累了丰富的工程经验和深厚的理论基础。本书正是他们多年工程勘察实践和成果的结晶。

中国工程院院士

中国工程设计大师

水利部天津水利勘测设计院

　专家委员会主任

天津大学教授

2004.12.14

前　言

　　堤防工程,是水利工程重要类型之一,是江河防洪体系的重要组成部分,是江河度汛、防洪的重要屏障。堤防工程的质量,是堤防工程能否安全运行的关键。

　　堤防工程,包括堤基和堤身两大部分。堤基是不同地质时期、不同成因类型的"地质体",而堤身则是人工填筑而成的"工程体"。前者按着成因类型和成土环境等固有的规律发育和展布,堤防工程质量则取决于填筑土料的工程性质和填筑质量。作为未建堤防工程的堤基勘察,是地质工程师的正常工作范围,而堤身土体质量检查,则不能用通常地质勘察工作设计思路和勘察方法,这就给地质工程师提出了一个新的课题。

　　海河流域平原区,河流发育,历史上修筑堤防工程却很少,成为洪、涝、旱、碱灾害的多发区。1963 年大洪水后,毛泽东主席发出"一定要根治海河"的伟大号召,在各级政府和领导的关怀下,平原区内全民动员,利用冬闲时间,按照 1963 年洪水标准,修筑了数千公里的堤防工程。但是,至今大部分堤防工程尚未经受洪水的考验。

　　1998 年,长江、松花江相继出现特大洪水,沿江堤防险象环生,堤防工程暴露出许多问题,引起党和政府的极大关注。近几年来,各大江、大河流域均开展了对已建堤防工程现状的调查和加固工作。随着已建堤防工程加固工作的不断深入,堤防工程勘察工作越来越引起水利工程领域的重视。对堤身土体质量如何进行检查,采用什么标准进行质量评价,我们在深入分析"工程体"的质量控制因素后,采用反衍思路,组合勘察方法,利用获得的土体强度参数,评价"工程体"的质量。通过综合分析堤防工程地质环境和堤防工程质量,对堤防工程质量进行分类,以作为堤防工程除险加固设计和施工安排的依据。

本书以翔实的第一手资料,阐述了海河流域平原区堤防工程特点、主要隐患类型、勘察方法组合和质量评价标准,提出了堤防工程勘察手段的新理念,不仅对堤防工程质量检查有十分重要的现实意义,同时对大专院校学生和有关工程技术人员亦有指导和参考意义。

本书由杨计申、李彦坡等著,各章节主要起草人如下:

杨计申:前言,第一篇第四章,第二篇第一章、第三章,第三篇第三章。

李彦坡:第一篇第五章,第二篇第二章,第三篇第二章(第一节至第三节)、第四章。

徐建闽:第一篇第一章、第二章、第三章,第三篇第一章。

王清玉:第三篇第二章(第四节),第四篇第三章。

张志恒:第四篇第一章。

袁宏利:第四篇第二章。

杨计申、李彦坡、徐建闽对本书做了统稿、修改和定稿。

本书编写过程得到了海河水利委员会郭宏宇总工程师和李彦东副总工程师的指导和关心,编辑出版得到了海河水利委员会、漳卫南管理局、河北省水利勘测设计研究院和河北省水利勘测设计研究院二院、天津水利勘测设计院的大力支持,在此一并表示谢意。由于水平有限,错误难免,不当之处,敬请读者批评、指正。

作　者

2004 年 10 月

目　　录

第一篇
海河流域平原区地质概况

第一章 地形地貌

第一节 平原区地貌类型

海河流域平原区为Ⅰ级地貌单元——平原地貌,即指第三纪以来以下降为主,受河、湖、海堆积作用形成的地貌单元。根据地貌形态和相应的物质组成,平原地貌又分为如下几个Ⅱ级地貌单元,见表1-1-1。

表1-1-1　　　　　　　　　海河流域平原区地貌单元类型

Ⅰ级	Ⅱ级	Ⅲ级
平原	海积、冲洪积平原	海滩
		泻湖地
		滨海洼地
		滨海低平地
		河口三角洲
	冲湖积平原	河湖三角洲
		低洼地
		低平地
	冲积平原	河漫滩
		河间洼地和泛滥洼地
		泛滥坡平地及冲积平地
		决口扇
		冲积扇缓坡地
		河流故道高地和微高地
	洪冲积平原	扇上和扇前洼地
		洪积扇或缓斜地
	洪坡积平原	洪坡积倾斜地
		残坡积倾斜地

一、海积、冲洪积平原

海积、冲洪积平原指以海积作用为主,由海积及冲积共同作用形成的堆积地貌。海积、冲洪积平原地表平坦,高出海平面不超过5m,微向海倾斜,地形坡降 1/5 000～1/20 000。其主要由黏性土和粉细砂或淤泥质土组成,普遍含有孔虫、海相介形虫及海相或海陆混生软体生物贝壳,分布于东营—沾化—黄骅—天津—柏各庄以东地带。根据微地貌形态和物质组成,还可以分为5个Ⅲ级地貌类型——海滩、泻湖地、滨海洼地、滨海低平地和河口三角洲。

二、冲湖积平原

冲湖积平原大都分布在山前坡地与洪冲积扇或洪冲积扇与冲积平原交接地带,其展布方向和规模决定于交接带方向及其地形形态。其主要由黏性土(多为淤泥质土)组成,地势低洼易涝,地形坡度1/10 000左右,成为地表水的汇集区和地下潜水的排泄区。地下水位埋深浅,水质常为咸水;水的矿化度大于2g/L,以$Cl^- \cdot SO_4^{2-}$(或SO_4^{2-}、Cl^-)$- Na^+$型水为主,土壤易盐渍化,主要有宁津泊、白洋淀和大黄庄洼等。根据微地貌和物质组成,还可以细分为河湖三角洲(仅分布在白洋淀潴龙河入口处)、低洼地(分布在上述几个洼地的中央区)、低平地(分布在上述几个洼地的周边)。

三、冲积平原

冲积平原主要由海河、黄河等变迁、泛滥、冲积而成,分布广泛,为平原区主要地貌类型,地形平均坡降1/5 000～1/6 000。区内古河道多而长,呈微高地分布,古河道之间分布一系列洼地,构成明显的岗、坡、洼地等相间分布的地貌形态,在平原区南东和东部有规律地呈NE30°方向的条带状展布(如南运河两侧地带)。古河道附近常分布有决口扇,较大的决口扇主要分布在黄河北岸的范县、阳谷、齐河、滨州等处。在洼地中的较高处或高地中的低洼地带,地下水位埋深较浅,土壤盐渍化,常为咸水,水的矿化度达2～5g/L,地下水化学类型常为$SO_4^{2-} \cdot Cl^- - Na^+$或$Cl^- - Na^+$型水。根据微地貌形态和物质组成,还可细分为下述Ⅲ级地貌单元。

(一)河漫滩

沿河分布,从滦河—黄河,各河河漫滩均呈现上游较宽、下游变窄的形态。微向河床倾斜,较泛滥坡平地低2～5m不等。堆积物主要为粉砂、砂壤土与壤土互层,平原区北部河流漫滩颗粒组成略粗,尤其河流上游段,可为中粗砂或含砾中、粗砂。

(二)河间洼地和泛滥洼地

平原区内河道间分布有洼地,沿河流发育方向呈长条形分布,如临西洼地、恩县洼地、衡水—献县洼地、河间—任丘洼地等。一般较平原地面低1～5m,常为粉质黏土、砂壤土等。地下水位埋深浅,水质为微咸水,地下水的矿化度1～3g/L,地表土壤多见盐渍化,局部因地下水排泄不畅而呈沼泽化,有芦苇丛生。

(三)泛滥坡平地及冲积平地

系指泛滥形成的微高地、古河道高地和决口扇与泛滥洼地间的地带。平原区内分布最广,呈宽条带状沿北东向展布。地势低平,土的颗粒组成较细,多为粉质黏土,一般不含地下水。

(四)决口扇

决口扇主要发育于黄河北岸侧,且常见于凹岸外(图1-1-1)。与泛滥坡平地呈过渡关系,无明显坡折,仅有颗粒组成的差别。土的颗粒组成较粗,透水性相对较强,仅局部洼地处见盐渍化现象。

(五)冲积扇的缓坡地

冲积扇的缓坡地主要分布在黄河北岸的长垣、濮阳以西地带,呈扇形分布,地面高程40～90m,向北东方向倾斜,地形坡度1/3 000～1/6 000,如图1-1-1所示。颗粒组成主要为砂土、粉土和砂壤土等,局部低洼处有盐渍化现象。

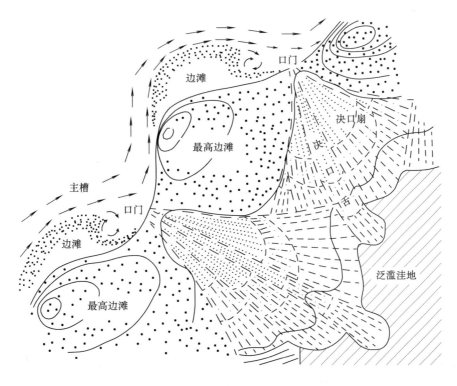

图 1-1-1 决口舌和决口扇叠加地貌示意图

(六)河流故道高地和微高地

由河流故道形成的微高地,常常高出两侧地面 2~6m。平原区内的东部和南东部河流故道多沿 NE30°方向呈条带状展布。最宽最长的河流故道高地为馆陶—德州—庆云间故道高地,主要由粉砂、砂壤土组成。其上常发育沙岗、沙垄、沙丘等微地貌形态,地下水位埋深一般较深。如图 1-1-2 所示。

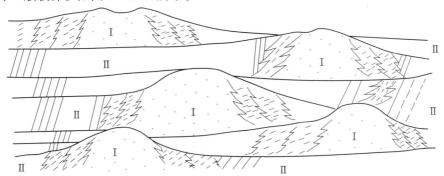

Ⅰ—河流故道,地表形成沙丘或沙岗等;Ⅱ—泛滥洼地

图 1-1-2 海河流域及泛滥洼地示意图

四、洪冲积平原

洪冲积平原分布于山前平原与丘陵台地相接地带,或与洪坡积平原相接,是季节性洪

流和常年水流共同作用的结果,可谓之混合成因的洪冲积平原。地形坡度在出口处约为1/300,逐渐变为1/10 000~1/3 000。区内分布面积最大的属漳河、滹沱河、永定河、滦河的洪积扇。根据微地貌特征和颗粒组成,洪冲积平原又可细分为以下两种。

(一)扇上和扇前洼地

物质组成以细颗粒为主——粉质黏土、砂壤土等,具有特定的水文地质条件,地下水水质较差,多为咸水或微咸水。

(二)洪冲积扇或缓斜地

洪冲积扇或缓斜地分布于太行山、燕山山前河流出口处。由于山地间歇性上升,故洪冲积扇扇顶不断向平原迁移,相邻扇体及不同时期的扇体间呈偏转或相互叠置的关系。部分晚更新世洪冲积扇或缓斜地已遭受剥蚀。

五、洪坡积平原

洪坡积平原、残坡积倾斜地分布在太行山、燕山山前低山丘陵前缘,由于山地急剧抬升,平原区剧烈下降,该带在地貌上分布很窄(相对而言),并且地形亦较平缓,由季节性水流和坡面水流堆积而成。根据微地貌形态和颗粒组成,可细分为洪坡积倾斜地和残坡积倾斜地两个Ⅲ级地貌单元。

综上所述,海河流域平原区地貌形态(图1-1-3)成因类型复杂多变,主要有海积平原、湖积平原、冲积平原以及洪积平原等。此外,还有部分由多种营力综合作用形成的海积冲积平原、湖积冲积平原、洪积冲积平原等。从区域地貌特点上看,海河流域平原区地貌具有以下特点。

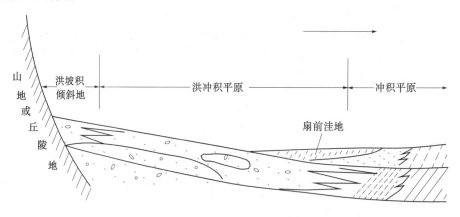

图1-1-3 洪坡积(或残坡积)倾斜地、洪冲积平原示意剖面图

(一)地貌结构呈阶梯状

山前为坡积洪积平原、洪积平原、洪积冲积平原和冲积扇平原,而后逐渐过渡为冲积平原、湖积平原、海积冲积平原和海积平原等。

(二)平原区岗、坡、洼地地貌发育明显

广大平原在周围山地丘陵的夹峙下,形成一个开阔的低洼地区,直接与渤海大陆架相连,总的地势是西高东低。在不同的河流控制下,岗、坡、洼地地貌形态发育明显,而且正负地形呈带状展布,构成平原区地貌的主体。

(三)水系变迁对平原内部地貌的形成和发育起主导作用

平原地貌建造的营力主要是河流流水和泥沙堆积的共同作用,海河水系的上游,多属松散的黄土堆积区,因此河流的含沙量较大,对河北平原区地莆的塑造起了很大作用。

第二节　各地貌单元特征

一、洪积冲积平原

由常年流水或季节性流水的河流堆积而成,主要分布于山前地带。地面坡降由1/300～1/500逐渐减缓到1/500～1/1 000,与其他类型的平原交接处有明显坡折。

洪积冲积平原主要地貌类型有洪积扇、微倾斜平地、岗地、槽形洼地等,它们在一定程度上表现了河流的变迁史。

二、冲积扇平原

冲积扇平原是来自太行山、燕山等边缘山地的一些河流所堆积的平原,以永定河、拒马河、滹沱河、漳河等河流的冲积扇规模较大。扇形平原上的古河道高地、沙岗、古河漫滩、古河床洼地等微地貌特征,往往反映了河流变迁的过程,成为冲积扇平原上的特色地貌景观。

冲积扇平原从上游到下游坡降变化明显,靠近山前的顶端地带坡降大致为1/300～1/500,河流有一定下切能力,河漫滩低于地面2～3m,河床变动较小;中部地带坡降1/1 000～1/5 000,是河流经常改道、决口、泛滥的地带,地面有大片沙地及古河道遗迹;冲积扇前缘地带,地势低平,坡降小于1/5 000,且有不同河系的径流交汇,雨季排水困难,造成严重的洪涝灾害。

三、冲积平原

海河冲积平原是由流域内河流迁移和泛滥冲积而形成的,分布面积广,地势平坦,海拔在4.5～5.0m之间,平均坡度1/5 000～1/6 000,在基底构造和河流流向的控制下,平原区地势总体由西南向东北倾斜。

不同河流历次改道和沉积物分异作用形成本区地貌的基本轮廓,地表正负地形相间排列,不同的地貌类型,如河漫滩、自然堤、河间洼地、平地等具有带状平行排列的规律。

四、冲积湖积平原

冲积湖积平原由河流与湖泊共同作用堆积而成,多分布于冲积扇平原或山前冲积平原的外围,是现代湖泊(如冀中的白洋淀)或古代湖泊洼地(如冀南的宁晋泊、大陆泽、恩县洼、文安洼等)的所在地,其地貌类型主要有湖滩、滨湖低地、平地、低平地、洼地等。

白洋淀由大小92个淀泊组成,总面积约570km²,丰水期水深10～15m,最大蓄水量达$19 \times 10^8 m^3$;宁晋泊、大陆泽、恩县洼、文安洼等虽已干涸,但洪水季节还有一定积水面积。

1963年特大洪水,曾使宁晋泊和大陆泽这两个洼地连成一片泽国。

五、海积平原

渤海湾海积平原,是近代海成平原,海拔仅 1～3m,地面坡降小于 1/10 000。其地貌类型主要为滨海低地、泻湖洼地和海滩,以滨海低地面积最大。滨海低地地面平坦,水流缓慢;泻湖洼地主要有南大港和北大港洼地等。

六、海积冲积平原

海积冲积平原为古代滨海地区,地势低平,海拔不超过 5m,地面坡降小于1/5 000,洼地和平地是其主要的地貌类型,在众多的洼地中,以大黄铺洼、团泊洼的规模较大,是昔日的古泻湖。

第二章 地层岩性

海河流域平原区所处的华北地区,位于西太平洋边缘岛弧弧后地带,自喜马拉雅山运动以来,主要处于 NW—SE 向的拉张应力场中。燕山运动以来形成或复活的一些主干断裂,由挤压转换为引张,并发生一侧沉降,从而孕育了新生代的主要断陷盆地和裂谷盆地,逐步形成了著名的华北平原及其外侧的若干小型坳陷。从第三纪始新世到第四纪全新世,华北平原区总体表现为大幅度下降,形成多个相间排列的 NNE 向坳陷,并接受了巨厚的沉积物,如图 1-2-1。现将与海河平原区内水利工程关系较为密切的第三系、第四系地层简述于后。

第一节 海河流域平原区第三系

燕山运动以后,华北地块上升,因而华北地区普遍缺失古新世沉积。始新世初,华北平原大幅度下降,形成多个相间排列的 NNE 向坳陷,并在华北地台东部形成北起沈阳、向南经太行山以东的华北平原,直至郑州、开封一带的渤海裂谷系,成为新生代的沉积中心。本期堆积称孔庙组和沙河街组四段,分布在冀中、黄骅、武清和临清台陷范围内,由于断裂活动强烈,下降幅度大,沉积建造复杂。始新世期间由下至上总体表现为玄武岩—红色陆屑建造—暗色含油页岩陆屑建造—含膏盐红色陆屑建造—玄武岩—杂色陆屑建造,沉积厚度一般数百米至千余米,最厚可达 2 500m 左右。始新世末喜马拉雅山运动第一幕,在平原区表现明显,造成沙河街组四段与上覆沙河街组三段的假整合或局部不整合。

渐新世地壳活动加剧,进入喜马拉雅山运动的全盛期。早期沙河街组一段至三段,经历了下降—上升—下降的地壳运动,从下至上沉积了含油页岩复陆屑建造—含膏盐红色陆屑建造—含油页岩复陆屑建造;晚期东营组则沉积了红色陆屑建造—暗色复陆屑建造—红色陆屑建造。整个渐新世,平原区沉积厚度 1 400~2 600m。渐新世末的喜马拉雅山运动第二幕,使全区普遍上升,并造成与上覆晚第三系的不整合。

整个晚第三纪,NNE 向断裂的横向拉张应力松弛,华北平原的差异活动减弱,以均衡的下降作用为主要特征,山区仍在继承性上升。从中新世开始,现今的华北平原区持续平稳地下降,晚第三纪堆积了厚达 600~2 000m 的馆陶组、明化镇组,主体为红色磨拉石建造和红色陆屑建造,东部沿海地区有玄武岩夹层,详见图 1-2-1。

系	统	组	段	柱状剖面	系度(m)	岩 性 特 征 及 分 布
上第三系	上新统	明化镇组	明上段		160 ↓ 800	灰、浅灰绿、棕黄色泥岩与灰白、棕黄色粉砂岩,细砂岩互层。局部地区下部夹含砾砂岩 分布全区
			明下段		155 ↓ 933	棕红、紫红色泥岩与棕黄色粉、细砂岩互层(不等厚),时夹灰绿色泥岩,含砾砂岩。遍布全区 黄骅小区厚达1 063m
	中新统	馆陶组			0 ↓ 956	紫红色泥岩与灰、灰白色砂岩,含砾砂岩互层。局部地区夹灰绿色泥岩,底部普遍有一层石英、石砾岩 遍布全区,仅局部缺失(边缘)
下第三系	渐新统	东营组	一段		0 ↓ 700	紫红、灰绿色泥岩与灰、灰白色砂岩互层 主要分部于冀中、黄骅小区
			二段		0 ↓ 533	灰绿色泥岩夹浅灰色砂岩及介形虫灰岩,含螺泥岩 主要分布于冀中、黄骅小区
			三段		0 ↓ 552	紫红、灰色泥岩与浅灰、灰绿色砂岩互层、黄骅小区南部夹介形虫泥岩 分布于冀中、黄骅小区
	新统	沙河街	沙一段		0 ↓ 1100	上部:暗紫红色泥岩夹浅灰色砂岩;中部:灰绿色泥岩;下部:钙质页岩、生物灰岩、油页岩、灰岩。底部:灰色砂岩 分布于冀中小区	油页岩、钙质页岩、碎屑灰岩、泥质白云岩组成,顶部为灰色泥岩。厚度7~1000m。分布于黄骅小区
			沙二段		0 ↓ 800	暗紫红、灰绿色泥岩、砂岩、钙质砂岩夹石膏薄层。黄骅小区为灰绿色泥岩夹砂岩、砂砾岩。邯郸一衡水小区为紫红、棕红色泥岩与、浅灰色粗砂岩、砂岩互层
			沙三上段		0 ↓ 828	顶为灰、灰绿色泥岩,以下为灰、绿灰色、深灰色泥岩与灰白色粉、砂岩互层,夹黑灰色炭质泥岩、油页岩和薄层煤。局部地区夹紫色泥碉 主要分布于冀中、黄骅(厚670m)、分布于邯郸一衡水小区
			沙三中段		0 ↓ 417	灰、深灰色泥岩夹灰白、灰色粉、细砂岩,黄骅小区下部夹油页岩,含钙砂岩。分布同上
	渐统		沙三下段		0 ↓ 1190	上部灰、深灰色泥岩、钙质页岩与灰白、浅灰色砂岩,含油砂岩互层,局部地区砂岩中含砾;下部灰、深灰色泥岩、钙质页岩、油页岩与灰、灰白色砂岩互层,局部地区砂岩中含石膏团粒 分布于冀中、黄骅(厚400m)邯郸一衡水小区
第三系	始新统	孔店组	沙四上段		0 ↓ 967	上部:灰、灰深色、褐灰色泥岩夹砂岩薄层或砂岩条带;下部:灰、深灰色含钙泥岩,局部含砂;底部:夹钙质页岩、泥灰岩、泥质白云岩 分布于冀中小区北部
			沙四中段		0 ↓ 782	绿灰、深灰、灰色泥岩与灰白色粉、细砂岩不等互层,夹玄武岩。在黄骅、邯郸一衡水小区为深灰色泥岩夹石膏层或为互层。时夹泥质白云岩,厚500余米,遍布于冀中、黄骅小区
			沙四下段		0 ↓ 1079	上部:灰黑色泥岩夹灰色粉砂岩,局部夹玄武岩;中部:深灰、灰色泥岩夹暗紫红色泥岩及粉砂岩;下部:紫红色泥岩与浅灰色砂岩不等厚互层,夹碳质泥岩薄层;底部:砂岩、含砾砂岩 分布于冀中、黄骅、邯郸一衡水小区
			一段		88 ↓ 692	上部:棕红色泥岩与砂岩互层,夹石膏泥岩,顶部为青灰色泥岩含石膏泥岩;下部:棕褐色泥岩夹含砾砂岩、砂岩
			二段		116 ↓ 437	深灰、黑色泥岩夹油页岩、钙质页岩、砂岩,局部地区夹灰岩、含膏泥岩、玄武岩
			三段		205 ↓ 487	紫褐、紫红色尼泥夹砂岩、砂砾岩,底为砾岩,局部夹玄武岩
白垩系						泥岩夹砂岩

0   700   1 400   2 100   2 800m

图 1-2-1 平原区第三系综合柱状图(引自区域地质志)

第二节　海河流域平原区第四系

华北地区第四纪继承了晚第三纪的地史发展特点,除个别山间盆地外,山区继续上升,平原区仍在均衡下降,内部差异运动进一步减弱,进入喜马拉雅山运动的衰退期。第四纪的沉积作用受气候变化的控制,从早更新世早期到全新世,山区可明显地划分出4次冰期、3次间冰期和1次冰后期,并且在平原区的沉积物和孢粉组合特征上有相应的反映。

海河流域平原区第四系沉积物,由西南向北东方向,随沉积环境的不同,可大致分为3个小区,即鲁西北小区、冀中南小区和天津南部小区。在不同区段堆积物组成与厚度均存在一定的差异,其第四系分组参见表1-2-1,第四系初期沉积环境和第四系底板埋藏深度见图1-2-2和图1-2-3。

表1-2-1　　　　　　　　　海河流域平原区第四系划分对比

层　序	地层代号	鲁西北小区		冀中南小区		天津南部小区	
		分组	层厚(m)	分组	层厚(m)	分组	层厚(m)
全新统	Q_4	—	18~28	岐口组	2~10	天津组	20
				高湾组	10~40		
				杨家寺组	5~15		
上更新统	Q_3	—	20~90	欧庄组	60~154	塘沽组	50~60
中更新统	Q_2	—	60~100	杨柳青组	150~190	佟楼组	110~130
下更新统	Q_1	—	60~160	固安组	150~210	马棚口组	200
第三系上新统	N_2	明化镇组					

一、鲁西北小区

(一)下更新统(Q_1)

本区下更新统(Q_1)沉积类型主要有冲积、湖沼积、海积及玄武岩等。岩性为棕黄、褐黄色壤土夹黏土质砂、粉细砂,砂层厚1~10m。普遍含有钙质结核或铁锰质结核及钙质淀积物。本统厚度60~160m。

(二)中更新统(Q_2)

中更新统(Q_2)在本区的沉积类型主要有冲积、湖积、海积及玄武岩、沉积凝灰岩等。岩性主要为灰黄、棕黄色黏土质砂、壤土夹细砂。本统厚度60~100m。

(三)上更新统(Q_3)

上更新统(Q_3)的沉积类型主要也是冲积、湖积和海积。岩性为灰黄、土黄色黏土质砂、壤土及砂层。砂层厚度1~15m。本统厚度20~90m。

(四)全新统(Q_4)

鲁西北平原全新统(Q_4)沉积类型以冲积为主,余为冲洪积、湖沼积、海积等。上部为

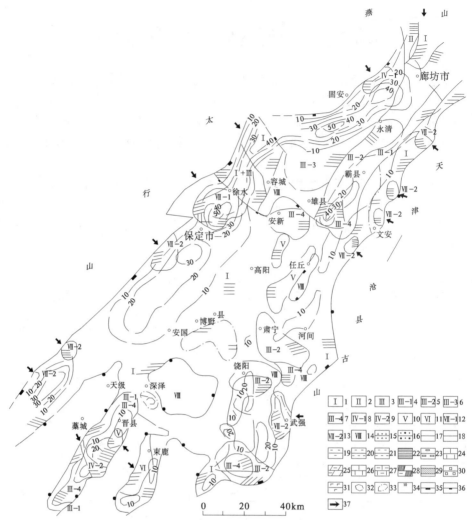

1—河流相;2—沼泽相;3—湖相;4—滨湖;5—滨浅湖相;6—深湖相;7—盐湖相;8—水下冲积扇;9—水下河道三角洲;
10—塌积锥;11—坡积相;12 洪积扇;13 冲积锥;14—残山;15—砾岩;16—砂砾岩;17—砂岩;18—粉砂岩;
19—砂质泥岩及粉砂质泥岩;20—泥岩;21—炭质泥岩;22—页岩;23—油页岩;24—灰岩;25—泥灰岩;
26—白云岩;27—泥质白云岩;28—膏泥岩;29—石膏;30—盐;31—玄武岩;32—岩相界限;33—岩性分界限;
34—等厚线(单位:100m);35—断层线;36—超覆线;37—物源方向

图 1-2-2 平原区孔店组—沙河街组四段沉积环境略图

(据石油工业部地球物理勘探局研究院,1982)

灰黄、土黄色黏土质砂、粉砂;中部为灰黑色淤泥或淤泥质壤土或黏土质砂、淤泥层等;下部为土黄色粉细砂。本统底部以一稳定的砂砾层或第一海相层为底界,总厚度 18~28m。

二、冀中南小区

(一)下更新统固安组(Q₁g)

根据古气候、岩性及沉积旋回等特征,可进一步分为两段:下段为冲积、湖积黏土、壤土夹砂砾层,以棕红色为基色,混有锈黄色、灰绿色及斑杂色,在黄骅坳陷本段底部局部有

1—山区;2—第四系厚度等深线(m)

图1-2-3 平原区第四系底板等深线

(据河北省地质局水文研究室,1979)

凝灰岩堆积,厚度80~110m;上段为冲积、湖积的壤土、砂壤土与细砂层互层,以红棕色、棕色为基色,混有锈黄色,厚度70~100m。

(二)中更新统杨柳青组(Q₂y)

中更新统杨柳青组(Q_2y)分为两段:下段以棕色、浅棕红色为主,为冲积、湖积含砂壤土夹砂砾层,部分地区近底部夹玄武岩及火山碎屑岩,厚度80~100m;上段以棕黄色、黄棕色为主,为冲积、湖积壤土夹砂层,厚度70~90m。

(三)上更新统欧庄组(Q_3o)

上更新统欧庄组(Q_3o)可进一步分为三段：下段为冲积、湖积壤土、砂壤土互层，夹细砂层，局部底部夹玄武岩及火山碎屑岩，厚度 30~60m；中段为冲积、湖积壤土、砂壤土互层，夹细砂及淤泥层，局部夹泥炭，厚度 20~54m；上段为冲积、湖积细砂、砂壤土、壤土互层，厚度 10~40m。

(四)全新统(Q_4)

1.杨家寺组(Q_4y)

杨家寺组(Q_4y)为冲积、湖积壤土、淤泥、砂壤土互层，夹细砂层，上部局部夹泥炭，底部局部见有火山碎屑岩，厚度 5~15m。

2.高湾组(Q_4g)

高湾组(Q_4g)为冲积、湖沼积泥质砂壤土与中细砂互层，夹泥炭，厚度 10~40m。

3.岐口组(Q_4q)

岐口组(Q_4q)为冲积、湖沼积壤土、砂壤土夹砂层，沿海一带为海相层，厚度 2~10m。

三、天津南部小区

(一)下更新统马棚口组(Q_1)

下更新统马棚口组(Q_1)可进一步分为两段：下段为冲积、湖积、海积黏土、壤土及粉细砂层，以深灰色、黄灰色、灰色、褐黄色为主，厚度 108.90m；上段为冲积、湖积、海积壤土、黏土夹粉细砂层，以褐灰色、褐黄色、灰黄色为主，杂以深灰色、棕红色，厚度 95.79m。

(二)中更新统佟楼组(Q_2)

中更新统佟楼组(Q_2)分为两段：下段为冲积、湖积、海积黏土、粉砂夹有泥砾层，以灰色、灰黄色、棕褐色为主，杂以绿灰色、棕红色，厚度 68.0m；上段为冲积、海积粉砂、细砂、泥质粉砂夹黏土层，以灰黄色、黄灰色、灰色为主，杂以绿灰色、黄棕色，厚度 19.50m。

(三)上更新统塘沽组(Q_3)

上更新统塘沽组(Q_3)分为三段：下段海积粉细砂夹壤土，厚度 7.15m；中段为海积、冲积壤土、砂壤土及黏土，以灰黄色、灰色为主，杂以淡绿色，厚度 20.63m；上段则为海积、冲积黏土、砂壤土夹细砂，灰色、土黄色及褐黄色，厚度 23.52m。

(四)全新统天津组(Q_4)

全新统天津组(Q_4)分为三段：下段冲积灰黄色、浅灰色壤土，厚度 2.6m；中段为海积深灰色、灰色、黄灰色壤土、淤泥质壤土、黏土夹细砂及泥炭层，厚度 10.4m；上段为冲积黄褐色壤土、砂壤土，厚度 5.6m。

第三章　构造与地震

第一节　区域地震地质

一、区域构造及新构造运动

根据大地构造分区,海河流域平原区位于华北断块区内。华北断块是中国大陆最古老的陆块,其地质历史概略地划分为 3 个大的阶段:①断块形成阶段(37 亿～6 亿年),即前寒武纪;该时期是华北地壳早期演化时期,在不同地区形成了不同的结晶基底,并开始了类似盖层的最早沉积时期。②断块平稳发展阶段(6 亿～2 亿年),即古生代;该时期表现为大面积的沉积,构造运动相对平稳。③断块活化阶段(2 亿年～现代),即中、新生代至现代;该阶段构造运动逐步奠定了华北地区现代构造运动的基本格架。

现对华北断块区的构造演化过程简述如下。

中生代时期,华北断块区表现为西部凹陷(鄂尔多斯凹陷)和东部隆起,海河流域平原区位于东部隆起带内。在东部隆起带内,主要表现为 NNE 走向相间排列的复背斜和复向斜构造,由西向东依次为冀西复向斜、沧津(沧县—天津)复向斜、陵秦(陵县—秦皇岛)复向斜和渤东(渤海东部)复向斜,并形成一些规模宏大的左行平移断裂系,即太行山山前断裂、沧东断裂、聊城—兰考断裂和郯庐断裂。作为冀中断块西界的太行山山前断裂,基本位于冀西复向斜的西翼。中侏罗世末的燕山运动中期,冀西复向斜解体,在冀中断块区沿太行山山前断裂产生保定—石家庄、北京等凹陷,沉积了厚达两三千米的侏罗—白垩系。如图 1－3－1 所示。

侏罗—白垩纪的构造变动,在冀中断块区形成了一系列剪切断裂系,奠定了新生代盆地发展的基础,控制了断块内次级构造的格局。

早第三纪古新世,区内构造活动相对平静,遭受强烈的剥蚀夷平作用,形成了准平原的地貌形态。始新世初,印度板块与欧亚板块碰撞及太平洋板块由 NNW 向转为 NWW 向运动,中国东部构造变形开始了新的阶段。该时期主要表现为断陷盆地的发育。早第三纪断陷作用主要发生在华北断陷盆地内,断陷区基本沿中生代褶皱或隆起的轴部发生,呈 NNE 向展布,反映了右旋剪切拉张作用下的构造特征,表明了区域构造应力场发生的重大变化,如图 1－3－1 所示。

晚第三纪基本继承了早第三纪的构造格局,晚第三纪沉积物主要分布于早第三纪的断陷区内。由于华北断陷盆地的整体下沉,在早第三纪的断隆区或凸起内,也堆积了较薄的晚第三纪沉积。早第三纪与晚第三纪等厚线形态基本一致,反映了该区晚第三纪应力场基本继承了早第三纪应力场特征。在山西断陷带,断陷盆地从上新世开始发育,并从南西向北东逐渐扩展。

第四纪时期,本区构造形态有一定变化。在阳原、蔚县盆地,泥河湾组与下伏三趾马红土呈角度不整合,类似的情况在山西断陷盆地带其他地区也可看到;南部的三门峡盆地、伊洛盆地、济源盆地开始回返上升;与此相应,在华北断陷盆地内,西缘的太行山山前

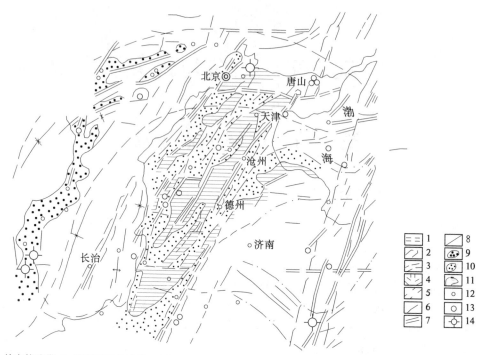

1—纬向构造带;2—新华夏系构造带;3—祁吕系构造;4—山字形构造;5—渤海旋卷构造;6—断裂;7—主要活动断裂;
8—褶皱;9—槽地;10—拗陷;11—隆起;12—6~7级地震震中;13—7~8级地震震中;14—8级以上地震震中

图 1-3-1 华北地区构造体系分布

断裂活动性减弱,第四纪沉积中心向东偏移,同时,在华北断陷北部发育了一条 NW 向凹陷带,即沙河、顺义至渤海湾凹陷带,它是在第三纪构造格架基础上,叠加发育的一条 NW向凹陷带。如图 1-3-2 所示。

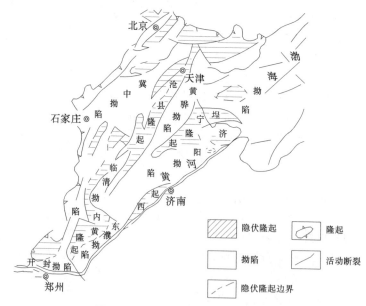

图 1-3-2 平原区内拗陷、隆起分布

现今构造活动基本受控于第四纪构造系。

二、新构造分区及活动性特点

受区域构造基底介质特征及动力来源的影响,新构造运动的类型、运动幅度和方式等都具有分区性,这必然影响地震破裂活动的特点。

华北断块区的新构造运动分区以区域地质构造分区为基础,结合新构造运动的具体特征,将本区新构造运动单元划分为阴山—燕山隆起区、山西隆起区、河北平原沉降区和豫皖差异运动断块等新构造区,参见图1-3-3。

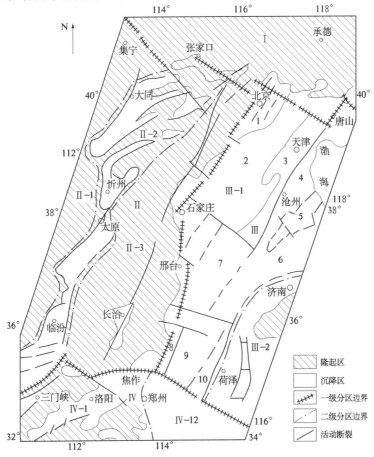

Ⅰ—阴山—燕山隆起区;Ⅱ—山西隆起区;Ⅲ—华北平原沉降区;Ⅳ—豫皖差异运动断块;Ⅱ-1—吕梁山隆起;
Ⅱ-2—汾渭断陷带;Ⅱ-3—太行山隆起;Ⅲ-1—渤海湾断陷;Ⅲ-2—鲁西隆起;Ⅳ-1—伊洛回返上升区;
Ⅳ-2—开封周口沉降区;1—北京凹陷;2—冀中凹陷;3—沧县凸起;4—黄骅凹陷;5—埕宁凸起;
6—济阳凹陷;7—临清凹陷;8—汤阴地堑;9—内黄隆起;10—东明凹陷

图1-3-3 区域主要断裂与新构造单元划分

阴山—燕山隆起区,新构造差异活动较弱,以区域隆起为主;山西隆起区内部发育NNE向的断陷盆地,断裂活动集中在断陷盆地边缘及内部,第四纪断裂活动强烈;河北平原沉降区主体为渤海湾断陷,由多个次级断陷盆地组成,在整体沉降的背景上具有差异沉降运动,内部构造复杂,总体受控于NNE向和NWW向两个方向的构造;豫皖差异运动断块为华北断块区的南部边缘带,主要发育在中生代盆地背景之上,第四纪以来内部差异活动较弱。

每一新构造区又可进一步细分为更次一级的新构造单元,具体划分结果见表1-3-1、图1-3-3。

表1-3-1　　　　　　　　　　　区域新构造运动分区

新构造分区			新构造运动特征
阴山—燕山隆起区			间歇性整体抬升,内部差异活动不明显,内部地震活动微弱
山西隆起区	汾渭断陷带	延怀盆地 大同盆地 忻定盆地 太原盆地 临汾盆地 运城盆地	次级盆地右行斜列排列,总体走向NNE,平面上呈S形。盆地的形成受断裂控制,上新世开始裂陷,由南往北发展,第四纪继承性活动。盆地边界断裂第四纪活动强烈,地震活动强度大、频度高
	吕梁山隆起 太行山隆起		以间歇性上升为主,内部差异活动较弱,发育个别山间盆地。地震活动水平较低,以中小地震活动为主
河北平原沉降区	渤海湾断陷	北京凹陷 冀中凹陷 沧县凸起 黄骅凹陷 埕宁凸起 济阳凹陷 临清凹陷 汤阴地堑 内黄隆起 东明凹陷	华北断陷盆地由多个次级盆地组合而成,这些盆地大致于始新世在中生代构造隆起背景上发生裂陷作用形成,中新世时整体沉降,形成统一的盆地,但盆地内部的差异活动仍以次级盆地或断块的活动为基础。华北断陷盆地断裂活动以NNE向右旋走滑拉张为主,断陷内地震活动强烈,强震活动与NE向的断陷盆地及其边缘断裂有关,但同时又受控于NW向构造带
	鲁西隆起		以隆起为主,西部边缘发育NE向沉降带,地震活动较弱,西部有中等地震
豫皖差异运动断块	伊洛回返上升区		山间盆地发育。这些盆地早第三纪强烈沉降,上新世以来活动逐渐减弱。地震活动总体水平较弱
	开封周口沉降区		主要是开封凹陷,该凹陷发育于中生代,新生代继续沉降,地震活动微弱

三、区域活动断裂与强震

(一)北东向断裂

北东向断裂是华北断块内的主要构造形迹。本区域大致等间距地分布着3条规模最大的NE向构造带,即山西断陷带、太行山东缘断裂带和沧东—聊考断裂带。

1.山西断陷带

山西断陷盆地带位于山西隆起的中部,是一条右旋剪切拉张带。该带由一系列大小不等的NE、NEE走向的地堑或半地堑盆地作右行斜列组成,总体NNE走向。盆地的形成严格受断裂控制,上新世以来的沉积发育也与断裂活动有关,沉积物最厚的地段往往靠近活动断裂一侧。山西断陷带内的主要断裂有延庆盆地北缘断裂、怀来—涿鹿盆地北缘断裂、蔚县盆地南缘断裂、恒山北麓断裂、桑干河断裂、口泉断裂、五台山北麓断裂、系舟山山前断裂、太白维山山前断裂、交城断裂、霍山山前断裂、罗云山山前断裂、中条山北缘断裂等。这些断裂第四纪以至晚更新世以来都具有明显的活动性,沿断裂带有中强地震发生,是华北断块内活动性最强的断裂。

2.太行山东缘断裂带

太行山东缘断裂带由紫荆关断裂、井陉—长治断裂及太行山山前断裂带共同构成。

紫荆关断裂和井陉—长治断裂发育于太行山隆起内部,主要活动时期为中生代,新生代尤其是上新世以来活动明显减弱,但第四纪以来仍有微弱活动,沿断裂带有中、小地震分布。

太行山山前断裂带是分割太行山隆起与华北断陷的边界断裂带,其地貌特征明显。断裂带的浅部由一系列长几十至上百千米的NE向断裂组成,这些断裂斜列展布,控制次级凹陷或隆起的分布。根据断陷内地层发育特征分析,断裂活动时代及幅度有所差异。其中,黄庄—高丽营断裂及所控制的北京断裂主要活动时代为新第三纪及第四纪,个别地段晚更新世—全新世仍有活动。徐水西断裂和望都—新乐断裂及所控制的徐水断陷、保定—石家庄断陷主要活动时代为始新世,新第三纪以来,断裂活动较弱,沉积中心偏离断裂东移。徐水西断裂和望都—新乐断裂倾角较缓,第四纪以来活动微弱。

宁晋断裂、新河断裂、邯郸断裂、汤西断裂、汤东断裂等为太行山山前断裂的南段,主要控制束鹿断陷、邯郸断陷和汤阴断陷,早第三纪有一定活动,主要活动时代为新第三纪和第四纪。太行山山前断裂的南段断裂第四纪以来都有明显活动,个别地段晚更新世以来仍有活动。

沿太行山东缘NE向断裂带曾发生过1730年北京6.5级地震、1658年涞水6级地震、1966年邢台7.2级地震、1314年涉县6级地震以及一系列中小地震。

3.沧东—聊考断裂带

沧东断裂与聊考断裂间有一高塘凸起,它们是在同一应力作用下形成的右旋剪切破碎带中的两个羽列段,可称之为沧东—聊考断裂带。

该断裂带早第三纪活动明显,晚第三纪以来断裂活动明显减弱,但第四纪仍有活动,沿断裂带有中强地震发生。

除上述3条大规模的NE向断裂带外,还存在其他一些NE向活动断裂,主要分布在华北平原断陷区内,其中最新活动断裂位于断陷北部,一般晚更新世—全新世有活动。这些断裂对地震活动具有明显的控制作用,为主要的发震构造,包括顺义—前门断裂、通县—南苑断裂、夏垫断裂、唐山断裂、大城断裂、曹县断裂等。

(二)北西向断裂

华北断块区域内,除占主导地位的区域NE向断裂外,NW向断裂也很发育,主要有张家口—渤海断裂带、无极—衡水断裂带、磁县—大名断裂、焦作—新乡—商丘断裂带、太行山东缘北西向断裂等。

1.张家口—渤海断裂带

该断裂带为分割山西隆起、华北断陷与北部的阴山—燕山隆起的分界断裂。它并不是单一的断层,而是由狼山—新保安断裂、南口—孙河断裂、蓟运河断裂等一系列NW向断层组成,具有左旋水平活动特征,沿该断裂带有强震活动。

2.无极—衡水断裂带

无极—衡水断裂总体走向NW—NWW,新生代活动强烈,构成冀中凹陷主体部分与邢(台)衡(水)隆起的分界断裂,第四纪晚期无明显活动。

3.磁县—大名断裂

磁县—大名断裂(F_{45})走向NW—NWW、倾向NE,中段构成内黄隆起和临清凹陷的分界断裂,向东南方向过朝城后断断续续与马陵断裂相接,向西断续延伸至涉县盆地。在布格重力异常图、航磁图上均有清楚的显示。1830年,磁县7.5级地震发生在断裂的西段。

4.焦作—新乡—商丘断裂带

该断裂西起济源、焦作一带,向东经新乡、封丘,过黄河到商丘继续向东南延伸,是一条区域性大断裂,在布格重异常图和卫片上有显示,为一组平行断裂(F_{53}、F_{54}),第四纪以来仍有明显活动,影响现代水系的发育。1857年修武6级地震及1937年9月30日封丘5.5级地震发生在该断裂带上。

5.太行山东缘北西向断裂

除前述较大规模的NW向区域性断裂外,在太行山东缘断裂带上,亦有一些NW向或NWW向断裂存在,主要包括永定河断裂、拒马河断裂、涞水断裂、安阳南断裂等,这些断裂第四纪活动普遍较弱,晚更新世以来基本无活动,只有个别与区域性NW向断裂相关的断裂,如南口—孙河断裂、磁县—大名断裂等晚更新世以来有活动。

此外,在东部还存在其他一些NW向断裂,如无棣—益都断裂、菏泽断裂等。其中,沿菏泽断裂曾发生1937年7级地震。

(三)活动断裂分布与强震

地震活动与第四纪断裂关系密切,强震一般发生在晚更新世以来有活动的断裂上。华北断块区晚更新世以来的活动断裂基本位于山西断陷盆地带和河北断陷盆地内。在山西断陷带内,断陷盆地边缘的主干断裂为晚更新世或全新世有活动的断裂,断裂主要为NE—NNE向展布,其性质为正断层或正走滑断层。在河北断陷带内,晚更新世以来活动的断裂主要分布在北部,包括华北断陷盆地北部边缘的NNE向断裂及张家口—蓬莱断裂带内的NWW向断裂。在华北平原内部NW向隆起带上的NE向断陷边缘,也有晚更新世以来有活动的断裂分布,如里坦断陷边缘的大城断裂等。在华北断陷盆地南部也存在个别活动断裂。

晚更新世以来的活动断裂分布列于表1-3-2。

由表1-3-2可知,山西断陷带为华北断块区域内活动性最强的区域断裂带,并为主要的强震活动带。公元前780年至今,发生7.0～7.9级地震6次,还有1303年洪洞、1556年华县2次8级地震,8级地震位于山西地震带的南部。强震发生一般与断陷盆地边缘活动断裂有关,详见图1-3-4。

在华北断陷盆地内,NE向构造为主要的发震构造。本区NE向构造主要为太行山山前断裂带和沧东—聊考断裂带。如沿太行山东缘NE向断裂带曾发生过1730年北京6.5级地震、1658年涞水6级地震、1966年邢台7.2级地震、1314年涉县6级地震等,沿沧东—聊考断裂带曾发生一系列中小地震。NW向断裂带上的强震活动亦与这两条断裂带相关,如1830年磁县7.5级地震、1937年荷泽7.0级地震等。

表 1－3－2 第四纪晚期活动断裂与地震

断裂名称	长度（km）	走向	活动性质	活动时代	相关地震活动
延庆盆地北缘断裂	60	NE	正	Q₄	1337 年 6.5 级、1720 年 6.25 级
怀来—涿鹿盆地北缘断裂	—	NE	正	Q₃	—
蔚县盆地南缘断裂	50	NE70°	正	Q₄	1581 年和 1618 年 6 级
恒山北麓断裂	128	NEE	正	Q₄	
桑干河断裂	140	NEE	正	Q₄	1989 年大同 6.1 级
口泉断裂	185	NEE	正	Q₄	1022 年和 1035 年 6.5 级
五台山北麓断裂	80	NE60°	正	Q₄	512 年代县 7.5 级
系舟山山前断裂	130	NEE	右旋正断	Q₄	1038 年定襄 7.25 级
太白维山山前断裂	40	NE75°	正	Q₄	1626 年灵丘 7 级
交城断裂	125	NE	右旋正断	Q₄	6 级
霍山山前断裂	>100	NNE	右旋正断	Q₄	1303 年洪洞 8 级
罗云山山前断裂	120	NNE	右旋正断	Q₄	5 级
中条山北缘断裂	—	—	—	—	
南口山前断裂		NE	正	Q～Q₄	—
清河断裂	40	NEE	正	Q₄	1730 年北京 7 级
黄庄—高丽营断裂	140	NE40°	右旋正断	Q₃	
涞水西断裂	—	NE	正	Q～Q₃	1658 年涞水 6 级
新河断裂	70	NE	右旋正断	Q₄	1966 年邢台 7.2 级
汤东断裂	>100	NNE	正	Q	5～6 级
顺义—前门断裂	110	NNE	正	Q～Q₃	—
通县—南苑断裂	110	NNE	正	Q₃	—
夏垫断裂	100	NNE	右旋正断	Q₄	1679 年三河 8 级
唐山断裂	50	NE	右旋正断	Q₄	1976 年唐山 7.8 级
大城断裂	130	NNE	右旋正断	Q～Q₃	1967 年大城 6.3 级
狼山新—保安断裂	—	NW	—	Q₂	
南口—孙河断裂	60	NW310°	正	Q₃～Q₄	—
蓟运河断裂	—	NW	—	Q	1976 年唐山 6.9 级
磁县—大名断裂	>100	NWW	左旋正断	Q₄	1830 年磁县 7.5 级
菏泽断裂	—	NW	左旋正断	—	1937 年荷泽 7.0 级

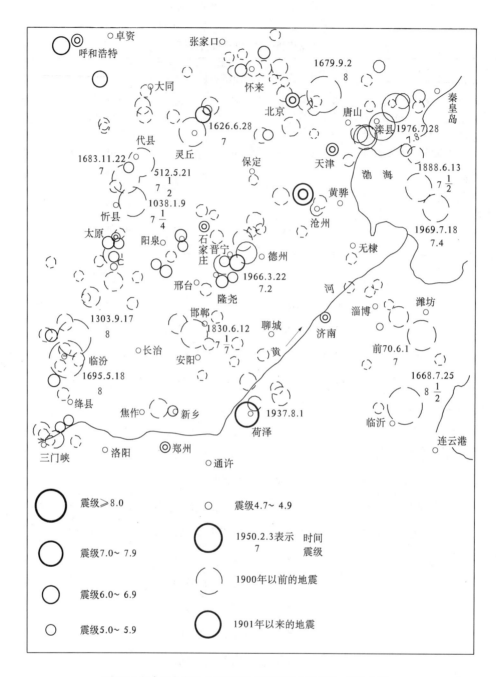

6级以上的余震全表示,6级以下余震只表示小于主震一级的余震

图1-3-4 华北地震区强震震中分布

NW向构造对地震活动具有明显的控制作用。其中地震活动性最强的NW向构造带为华北断陷北部的张家口—渤海断裂带,该断裂带控制了华北平原两次最强烈的地震,即1679年的三河—平谷8级地震和1976年的唐山7.8级地震。

焦作—新乡—商丘断裂带及以南区域内的断裂活动都较弱,无强震发生,只有中小地震活动。

第二节　平原区地震活动性

一、地震活动的时空分布特征

(一)地震期、地震幕划分

地震活动在发生时间上具有明显的不均匀性,表现为地震活动的分期和分幕现象。

华北地区地震历史记载在我国最为悠久且资料最为丰富。分析公元900年以来华北地区6级以上地震的$M-t$图(见图1-3-5)可以看出,本地区强震活动呈平静与活动交替的特点,大致有4个活动期,地震活动存在约300年的周期。

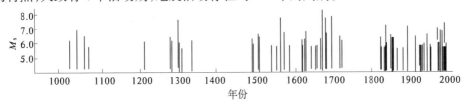

图1-3-5　华北地区$M-t$图

在300年左右的活动期中,还存在20～30年的地震幕。表1-3-3列出了华北地区第四活动期的地震幕。各幕的地震频度、能量释放并不均一,总体上说,是一个从少到多、从弱到强的发展过程,初始的几幕,活动水平较低,以后逐渐增强。在每个活动期内,地震在时间上的分布前疏后密。在华北地区第四活动期内,第七幕频度高、强度大,为活动期的高潮幕。根据与第三活动期的分幕类比外推,本活动期在经历了第七幕高潮后还可能出现持续数十年的两个结尾幕,地震活动将起伏衰减。

表1-3-3　　　　　　　　　　华北地区第四活动期地震幕划分

幕	活动时段 (年)	平静时段 (年)	全幕时间 (年)	地震频度 ($M_s \geqslant 5$)	应变释放 ($\times 10^8 J^{1/2}$)
1	1815—1820	1821—1828	14	3	0.36
2	1829—1835	1836—1854	26	5	1.20
3	1855—1862	1863—1879	25	5	0.08
4	1880—1898	1899—1908	29	9	1.07
5	1909—1923	1924—1928	20	9	0.32
6	1929—1952	1953—1965	37	11	0.83
7	1966—1978	1979—	—	14	4.63

(二)地震带划分

根据地震活动在空间分布上的不均匀性,华北地区包括河北平原地震带、山西地震带和许昌—淮南地震带。

海河流域平原区位于河北地震带,其主体构造是华北断陷盆地内部的一系列NNE向活动性断裂带,西部包括太行山东缘断裂带,东部包括沧东断裂带和聊城—兰考断裂带,北部延伸至燕山南缘,南部包括新乡—商丘断裂带。山西地震带主要包括山西断陷盆地带。许昌—淮南地震带位于华北断块南部,相当于豫皖差异运动断块的范围。河北平原地震带和山西地震带都是华北地区强烈活动的 NNE 向地震带,许昌—淮南地震带呈 NWW 向,属中强地震活动带。

(三)主体地震活动场所

地壳由断裂带分割成若干等级的块体组成,不同地震活动期反映了不同块体的活动,块体边界为主体活动场所,即可能发生地震的地带。华北第三活动期地震($M_s \geqslant 5$)主要活动范围轮廓清楚,其西界为山西地震带,东至郯庐地震带,南面为东西向的平陆—郯城地震带,北端自怀来至渤海湾,呈 NW 向分布。上述 4 条边界内、外地震均很少,显然,这些边界地带就是该活动期的主体活动地带。第四活动期的主体活动范围已向东迁移约 300km,西界为河北凹陷带,东为黄海地震带,北以朝阳—海城—丹东为界,南部可能以磁县—诸城或菏泽—溧阳为边界;另外,在这些边界所围的区域内有一条 NW 向的丰南—渤海带。

研究结果表明,一个活动期内地震不仅随时间经历由少到多、由弱到强的过程,从空间上也相应经历由局部活动到整体活动的过程。高潮期前的地震活动分布基本刻划了未来高潮期中大震的分布范围,而且未来强震均发生在这些地震活动带的空段部位。例如,1668 年郯城 8.5 级地震、1679 年三河—平谷 8 级地震、1683 年原平 7 级和 1695 年临汾 8 级地震。

二、主要地震带地震活动特点与地震趋势

(一)历史地震活动性

1.河北平原地震带

该带地震频度和强度均较高,据历史地震资料记载,曾发生过 8 级地震 1 次,7～7.9 级地震 5 次,6～6.9 级地震 13 次。它是华北本次地震活动期的主体活动地带,近代地震活动显示出密集成带分布。

从图 1－3－6 可以看出,河北平原地震带自 1400 年以来经历了两个地震活动期,即 1400～1730 年和 1731 年开始到目前还未结束的两个活跃期。根据对华北地震区的地震活动分析,本带在经历了 1966～1976 年地震能量大释放后,未来百年将处于能量的剩余释放阶段。

2.山西地震带

本带是华北地震区的主要地震活动带,自公元前 780 年起有地震记载,公元 700 年以来共记载 6 级以上地震 20 次,其中 8 级地震 3 次,即 1303 年赵城、1556 年华县和 1695 年临汾地震。但自 1780 年本次华北地震活动期开始以来,该带只发生了 1 次 6 级以上地震(1815 年平陆 6.75 级地震),地震活动水平很低。

从图 1－3－6 可以看出,该带自公元 700 年以来经历了 5 个地震活动期。对比各期地震强度和频度可以看出,地震活动经历了一个由弱—逐渐增强—能量大释放—剩余释放的过程。早期历史地震资料虽不完整,但似乎仍可初略地看到一个千年以上的地震活动韵律。按能量释放规律的 4 个阶段划分,第一阶段为 1200 年以前,包括第一、第二地震期,表现为地震少、强度低,没有 8 级地震发生;第二阶段为第三地震期,频度、强度有较明

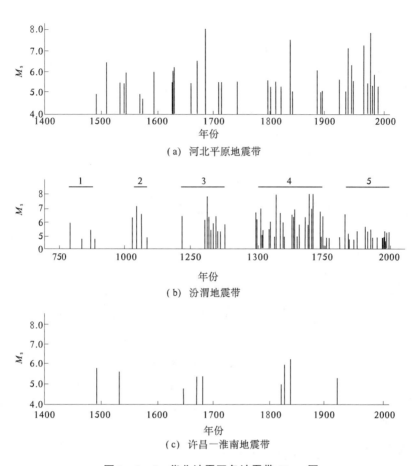

（a）河北平原地震带

（b）汾渭地震带

（c）许昌—淮南地震带

图 1 - 3 - 6　华北地震区各地震带 *M* - *t* 图

显增加；第三阶段是第四地震期，为地震能量大释放阶段，发生了 2 次 8 级地震；第四阶段包括第五地震期，频度、强度明显下降，处于大释放后的调整阶段。

3.许昌—淮南地震带

该带是华北地震区南部的一条主要地震带。本带地震活动强度、频度低，历史上未发生过 7 级以上强震，仅发生过 3 次 6 级地震，即 1481 年涡阳 6 级、1820 年许昌 6 级和 1831 年凤台 6.25 级。从图 1 - 3 - 6 可以看出，1400 年以来大致可分为 3 个地震活跃期，即 1481—1525 年、1640—1675 年及 1814—1831 年。从 1832 年至今仅发生 1 次 5 级以上地震（1918 年河南通许 5.25 级），地震活动水平很低。考虑到地震相对平静已持续了约 100 年，以上 2 次的平静时段都长，估计未来 100 年该带可能进入地震相对活跃的时段，将会发生 5 ~ 6 级地震。

(二)数理统计预测

1.震级 - 频度关系

震级 - 频度关系，也叫震级发生率或重复率公式，首先由 Gutenberg 和 Richter（1944）提出。其一般关系为：

$$\lg N = a - bM$$

式中　a、b——待定参数；

　　　　N——$M \geqslant M_0$ 的地震累积频度；

　　　　M——震级。

由于统计结果与时空尺度有关,在区域一定的情况下,根据历史地震记载和地震活动分期,选取适当的时间长度。表 1-3-4 是河北平原地震带、山西地震带和许昌—淮南地震带的震级-频度关系。

表 1-3-4　　　　　　　　华北地区震级-频度关系

地 震 带	b 值	a 值	标准偏差 S
河北平原地震带	0.57	4.7	0.10
山西地震带	0.57	4.7	0.15
许昌—淮南地震带	0.74	4.8	0.18

利用地震重复率曲线可计算各震级档次的年平均发生率 P,从而推算各带从统计资料起始时间至未来百年应发生的理论地震数 n_1,减去已发生的地震次数 n_2,即为各地震带未来百年内的缺震数,预测结果如表 1-3-5。

表 1-3-5　　　　　　　　各地震带未来百年内的估计缺震数

地 震 带	$M \geqslant 5$	$M \geqslant 5.5$	$M \geqslant 6$	$M \geqslant 6.5$	$M \geqslant 7$	$M \geqslant 7.5$	$M \geqslant 8$
河北平原地震带	14	8	4	1.75	0.61	-0.14	0.46
山西地震带	6.5	6.4	8	0.7	0.9	1	-0.4
许昌—淮南地震带	5.2	—	-0.1	—	—	—	—

2.极值理论

假设地震服从 Gutenberg 和 Richter 震级频度关系式,并且累积地震频度符合泊松分布,则可以导出地震的极值分布函数,计算出 $M \geqslant M_0$ 的地震平均复发周期。

利用 1400 年以来的 5 级以上地震资料,对河北平原地震带和山西地震带未来百年地震危险性进行预测的结果,河北平原地震带可能发生 6 次 6 级以上地震,山西地震带不缺 7 级以上地震,最大地震 6.5 级左右。许昌—淮南地震带因历史地震资料太少,难以求出合理的结果。

3.线性预测

线性预测是对随机平稳过程中各事件之间的相关性进行分析,再对过程进行外推。取地震序列的特征量为 $E^{1/3}$,对 1400 年以来 5 级以上地震进行统计线性预测,结果表明在未来百年内河北平原地震带发生 7 级以上地震的可能性较小,山西地震带可能发生的最大地震 6.5 级左右。

4.马尔科夫模型

假定地震序列是平稳的,而且在状态间的转移具有马尔科夫性(也即若地震事件在 t 时的状态确定,则以后运动的状态与 t 以前的状态无关,而仅与 t 时的状态有关),则可以导出今后 t 时间内至少发生 1 次 $M \geqslant M_0$ 地震的概率 P_t 为:

$$P_t(M \geqslant M_0) = 1 - e^{-q_0 P_0 \cdot t}$$

式中　q_0、P_0——待定系数,可由历史地震资料求出。

根据1400年以来5级以上地震资料计算得到未来百年发生$M \geqslant M_0$地震的概率如下:

河北平原地震带

$$P_{100}(M \geqslant 6.0) = 0.89$$
$$P_{100}(M \geqslant 6.5) = 0.66$$
$$P_{100}(M \geqslant 7.0) = 0.46$$
$$P_{100}(M \geqslant 7.5) = 0.18$$

山西地震带

$$P_{100}(M \geqslant 6.0) = 0.88$$
$$P_{100}(M \geqslant 6.5) = 0.82$$
$$P_{100}(M \geqslant 7.0) = 0.60$$

综上所述,经对华北地区各地震带地震活动特点的分析和统计预测,未来百年内,河北平原地震带可能发生的最大地震为6.5级左右,山西地震带有发生6级地震乃至7级地震(1次)的可能,许昌—淮南地震带将会发生5~6级地震。

三、现代构造应力场特征

根据李钦祖等的研究结果,华北地区区域应力场的特点主要为:①华北地壳处于一个一致性良好的统一应力场中,主压应力轴的方位大多是NEE—SWW向,主张应力轴的方位大多是NNW—SSE向,并且都接近于水平;②对华北地区发震断层运动方式的统计结果表明,走滑运动占72%,正断层型运动占19%,逆断层型运动占9%。震源机制解两个节面的控制性的走向是NNE和NWW。

经收集、分析和统计华北平原区1937—1992年间的60次4级以上地震的震源机制解,其结果概述如下:

(1)华北平原区主压、张应力轴的方位大多分别为NEE—SWW向和NNW—SSE向。

(2)压应力轴和张应力轴的仰角$\alpha \leqslant 40°$的,分别占地震总数的76.6%和83.3%;压应力轴和张应力轴的仰角$\alpha > 40°$的情况主要出现在小震级的事件中。由此可见,本区域现代构造应力场基本上是水平应力场。

(3)按27个5级以上地震震源机制解,给出两组互相垂直节面的平均走向是NE31°±15°和NW58°±16°。这表明,本区域内存在两组大致相互垂直的断裂,一组为NE—SW向,另一组为SEE—NWW向。

(4)若本区域内地壳是在NEE—SWW向和NNW—SSE向的水平主应力作用下,则区内NE—SW向断裂将主要表现为右旋走滑型运动,而NNW—SSE向断裂主要表现为左旋走滑型运动。

(4)经统计,本区域内发震断层的运动方式以走滑型为主,占60%,正断层和逆断层型运动分别占25%和15%。

第四章 渤海与冀鲁平原发育简史

第一节 渤海的形成演化与冀鲁平原

渤海及冀鲁平原是在第三纪基底构造的基础上形成和演化的。冀鲁平原与西、北侧山区多以区域性断裂为界。平原区基底构造以 NE 向和 NNE 向构造形迹为主,新生代以来有着明显的继承性活动,且活动方式以断块升降运动为主。NW 向和 NWW 向断裂规模较小,而 NW 向断裂往往切断 NE 向断裂,是本区最新构造体系,断裂交汇带成为地震活动的热点。

渤海及冀鲁平原在第三纪时期呈整体下降。在湿热气候条件下,形成以冲积、冲湖积、湖积为主的巨厚细粒堆积物,在古洼、岭基础上演化成第三纪末期的准平原地貌。第四纪早更新世,转变为以干冷为主的冷暖交替、周期性变化的气候,平原周边山体继续上升,遭受剥蚀,平原区下降接受沉积(堆积),使平原解体,向着现今的下辽河平原、渤海和冀鲁平原的地貌景观演化。山区河流携带大量碎屑物质注入平原区,于山麓形成扇形堆积和与其毗邻的冲积、冲湖积平原。在冀鲁平原东部低洼处形成河湖、湖沼洼地及河湖三角洲堆积,部分地区见有小规模的海侵,沧州、赵县、无棣等山前见有火山堆积。

中更新世,气候以暖为主,构造活动仍以垂直升降运动为主,平原迅速扩大,堆积作用覆盖的面积大大超覆于早更新统,平原区中、东、南部的湖沼面积大大缩小乃至消失。此时的黄河冲破三门湖冲向平原区,成为塑造冀鲁平原的主要力量和物质来源。在这段时期内,曾发生泽面抬升,造成 1～2 次海侵,渤海已具雏形。海兴、无棣见有火山堆积,其中无棣大山玄武岩的连续喷发,形成孤立的山丘,丘顶高出现今地面约 70m,其上未接受晚更新世的堆积。

晚更新世,气候变化剧烈,初、中、晚期气候变化为温暖→寒冷→偏暖波动,此时渤海基本形成,并有二次较大的海侵现象。至晚期,气候再度变冷,泽面大幅度下降,海岸高程曾到 – 150m,对我国东海大陆架影响极大,大部分被海面覆盖,使渤海乃至辽东半岛、庙岛群岛等接受了黄土类土的堆积。晚更新世堆积范围比第四纪其他各期堆积范围都要大,冲积物覆盖了平原区的大部分,原来的洼地几乎全部消失。于赵县、海兴一带尚有火山堆积,海兴火山至今高出地面 30 余米,未接受全新世堆积。

全新世气候由冷变暖,洋面迅速扩大回升,形成现今的渤海。平原区的面积较以前缩小,发育着以河流冲积为主的冲洪积物的堆积,平原区中部发育了一些河湖及湖沼相堆积。由于洋面的扩大抬升,冀鲁平原与辽河平原形成两个不相连接的平原,各自形成自己的水系单独入海,并形成新的河口三角洲。

第二节　第四纪以来地质环境变迁

第一次大的海侵形成于晚更新世早期,距今 15 万~7 万年,如图 1-4-1 所示。海侵范围为唐山—天津—献县—惠民—博兴—莱州湾一线。海侵期堆积物厚度达 20~25m,滨海地带该层堆积物埋深 50~90m。

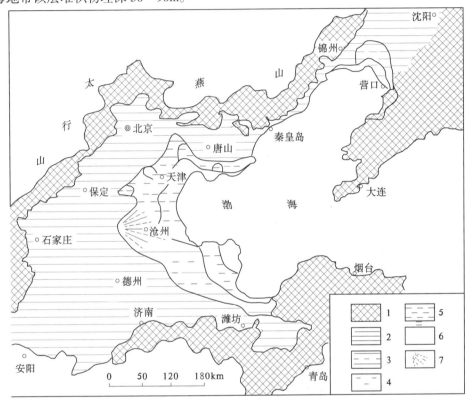

1—山区;2—冲积平原;3—滨海平原;4—泻源;5—滨海;6—浅海;7—三角洲

图 1-4-1　环渤海地区第一次海侵古地理图

第二次海侵,形成于晚更新世晚期,距今 3.9 万~2.3 万年,海侵达到秦皇岛—玉田南—文安—献县—无棣—广饶—莱州湾一线,如图 1-4-2 所示海侵期堆积物厚度约 15m,在滨海地带该层埋深达 25~45m。

第三次海侵,形成于全新世时期,距今 1.2 万年,在全新世中期(距今 8 000~3 000 年)达到最大范围,海侵范围达到秦皇岛—乐亭—柏各庄—玉田南—文安—献县—海兴—博兴—寿光—莱州湾一线,如图 1-4-3 所示。

海侵堆积物在滨海地区埋深为 0~18m,最深达 22m。金县县城西门外海相贝壳堤[14]C 年龄为 6 510±210 年,黄骅苗庄贝壳堤[14]C 年龄为 4 500±500 年,均代表了当时的海岸线。距今 6 000 年前后,海面达到第四纪以来最高,海面比现今海面高出约 4m,为第四纪以来范围最大的一次,之后海面波动下降,海岸线不断向海的方向推进。

海面与海岸线的变迁,使滨海平原堆积的物源和堆积形式不断变化,使第四纪地质环境更加复杂。

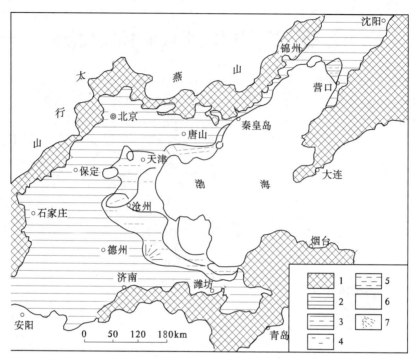

1—山区;2—冲积平原;3—滨海平原;4—泻源;5—滨海;6—浅海;7—三角洲

图1-4-2 环渤海地区第二次海侵古地理图

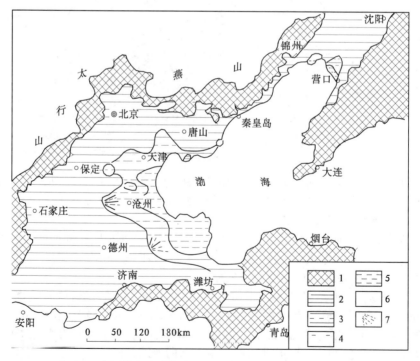

1—山区;2—冲积平原;3—滨海平原;4—泻源;5—滨海;6—浅海;7—三角洲

图1-4-3 环渤海地区第三次海侵古地理图

第三节　海陆变迁及其环境地质

(1)晚更新世以来的海陆交互作用塑造了复杂的岩相古地理环境。渤海拗陷第四纪堆积物反映了同期异相堆积的特征,渤海东北部属"辽东湾三角洲平原"、西部属"渤海湾三角洲平原"、南部为"莱州湾三角洲平原",而渤海腹地为3个三角洲平原交汇的"渤海堆积平原"。

黄河为多泥沙河流。历史上最早记述黄河故道是周定王五年(公元前602年),当时黄河由天津—沧州间入海。自公元前602年至今,2600年来,除1194—1855年间为南流入海外,其余时间黄河入海口均在天津—莱州湾间摆动。所以,渤海西岸海陆变迁,实际是海面升降变化与黄河堆积作用不断演化、相互作用的结果。

多泥沙河流黄河,进入华北断块沉降区后,淤积作用就成为黄河下游主要河流动力地质作用。从中更新世早期至现在,它在塑造华北平原岩相古地理环境中起着主要作用,该岩相古地理环境就成为分析、判断滨海平原、渤海海域工程地质、水文地质、工程地质环境的重要基础。

(2)海陆交互作用,使海岸带形成不同的地质灾害。近100年来,特别是近50年来,由于构造活动和地下水大量开采,冀鲁平原地面沉降显著,不仅波及范围很大,而且下降速率在全国亦是最高的。在大范围下降区内,形成了几个下降严重的中心,如天津、沧州、德州、衡水等,这些地区的大幅度沉降是由构造形变与地下水过量开采引起的地面沉降叠加形成的。由大地形变测量资料来看,构造形变的下降速率为2mm/a,而由过量开采地下水引起的地面沉降速率最大可达80mm/a,如图1-4-4所示。由于平原区地面沉降和海面在不断抬升,加剧了海水入侵和风暴潮灾害。海水入侵、侵蚀基准面抬升、连年干旱河水量大大减少乃至干枯,破坏了河口地段的冲淤平衡,河口不仅不能形成三角洲,而且河道回淤相当严重,子牙河、永定新河河口地段淤高达1~3m,给河道排洪排涝等带来新的环境地质问题。

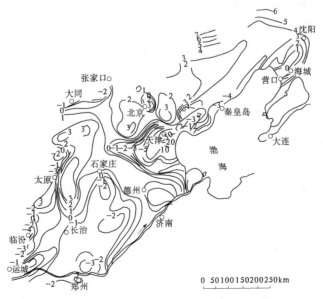

图1-4-4　华北地区1951—1982年垂直形变速率(单位:mm/a)

第五章 水文地质概况

综上所述,海河流域平原区堆积了巨厚的不同成因类型的第四系松散堆积物,其成因类型有洪积、冲积、海积、湖积堆积或它们的联合堆积作用形成的堆积物,致使松散堆积物在平面和剖面上的颗粒组成都非常复杂。其透水性和含水性的差异亦很大,但均为孔隙含水层。在平原区西部和北部近山前地带大多以孔隙潜水含水层为主,接受大气降水和山区地下水径流补给,径流较强烈,向河床和平原区深部径流排泄。平原区中部和东部地区,浅部为孔隙潜水含水层,呈条带状埋藏于古河道地带;而河间地块则成为条带状的相对隔水带,即使含水水量亦很小,且在南部地带多为咸水或苦水;接受大气降补给,径流很弱,局部呈相对封闭状水体,以蒸发排泄为主。中、东部的深部则分布有孔隙承压含水层,由于埋深大,除接受上部含水层越流补给外,主要接受山前地带孔隙潜水的径流补给,径流相对较强烈,向渤海方向排泄。近年来,由于开采量过大,不仅使京广铁路附近及其以西地带地下水位大幅度下降,还在衡水、德州、沧州、大城、天津等地形成大面积地下水位下降,形成几近连在一起的大降落漏斗。现将各含水组(大致划分)水量、水质概况简述如下。

第一节 第一含水组

含水层底界面埋深 350~600m。山前地带为强风化的粗砂砾石承压含水层,下部为致密的混粒结构,含有泥质(风化)砾,上部具有层状结构,含有钙和铁锰质结核。承压水头高程 2~3m,矿化度 0.3~0.5g/L,为重碳酸钠钙型水,单井的单位涌水量可达 5~10m³/(h·m)。水量丰富,主要接受山区地下水径流补给和大气降水的补给,近来年,由于东部平原区大量开采地下水,地下水位下降幅度很大。

中部平原区为含砾粗砂承压含水层,含有钙质结核。承压水头高程 1~3m。在西半部矿化度 0.5~1.0g/L,水化学类型为重碳酸钠钙、重碳酸硫酸钠、重碳酸钠型水。含水量丰富,主要接受西部山前地下水径流补给和上部地下水越流补给,向东部平原区径流排泄。由于局部地段透水性的差异,一些地段地下水位下降较严重。东半部,矿化度达 1.0~1.5g/L,水化学类型为重碳酸钠、氯重碳酸钠型水,局部地段为氯钠型水。主要接受地下水径流补给和上层地下水的越流补给,径流很微弱,局部地段为封闭的埋藏水(沉积水)。中部平原区的单井单位出水量可达 2.5~10m³/(h·m)。

滨海平原区,主要为中细砂孔隙承压含水层,承压水头高程 -5~-8m。矿化度 1~2g/L,水化学类型为氯重碳酸钠型水和重碳酸硫酸钠镁钙型水,单井单位涌水量可达 3~9m³/(h·m)。主要接受地下水径流补给和浅部淡水层的越流补给,径流缓慢,向渤海排泄。

第二节　第二含水组

山前平原区以石家庄为界分为北、南两部分。北部含水层底界埋深250～300m，以南则小于100～250m。中部平原及滨海平原为300m左右，从西到东含水组内的岩性变化为卵砾石—粗中砂—细中砂—中细砂—粉细砂。山前地带见有弱风化砂卵砾石层，东部地区见有咸水含水层。含水组富水性较强，均为淡水，为承压含水层。

山前平原区承压水头高程2～6m，矿化度0.5～1.0g/L，水化学类型为重碳酸钙镁型水和重碳酸硫酸钙钠型水。单井单位涌水量2～5m³/(h·m)，局部可达10～20 m³/(h·m)。主要接受大气降水和山区地下水的径流补给，水量丰富，径流强烈，向下游(平原区)排泄。中部平原区的西半部，承压水头高程6～8m，矿化度0.5～1.0g/L，水化学类型为氯硫酸钠镁型水、重碳酸氯硫钠镁型水和重碳酸钠型水，后者水的矿化度小于0.5g/L。中部平原区的东半部，地下水的矿化度1～2g/L，水化学类型为重碳酸氯钠型水、氯硫酸钠镁型水和重碳酸钠型水，后者矿化度较低，为0.5～1.5g/L。在中部平原区的该含水组，主要接受地下水侧向径流补给和少量的上部含水层越流补给，水量相对较丰富，单井单位涌水量大多为5～10m³/(h·m)，局部地段可达20～50m³/(h·m)。径流较强烈，向下游(渤海方向)排泄。

滨海平原区地下水水头高程－5～－8m，矿化度1～2g/L，水化学类型为氯重碳酸钠型水和重碳酸硫酸钠镁钙型水。主要接受地下水侧向径流补给和少量上部含水层越流补给。径流较弱，向渤海排泄，水量较丰富，单井单位涌水量3～9m³/(h·m)。

第三节　第三含水组

该含水组底界面埋深90～100m。西部山前地带埋深60～70m，含水组岩性为卵砾石—中粗砂—中细砂—粉细砂，且由西向东由粗变细的变化。东部及滨海平原普遍分布有咸水含水层。

在山前平原区承压水头高程4～10m，水的矿化度小于0.5g/L，水化学类型为重碳酸钙镁型水和重碳酸硫酸钙镁型水。接受山区地下水径流补给和大气降水补给，径流强烈，向平原区径流排泄。含水量丰富，单井单位涌水量可达20～50m³/(h·m)。

中部平原区承压水头高程4～8m。西半部：水的化学类型为重碳酸钠镁型水和硫酸氯钠镁型水，矿化度2～5g/L，局部地段大于5g/L；东半部：水化学类型为重碳酸氯钠型水和重碳酸硫酸钠型水，矿化度0.5～1.0g/L。主要接受地下水侧向径流补给和少量上部含水层越流补给，水量较丰富，径流较强烈，向滨海平原区径流排泄，单井单位涌水量10～15m³/(h·m)。

滨海平原区为咸水或苦水，水化学类型为氯钠型水，矿化度达10～30g/L。

第四节　第四含水组

该含水组为潜水含水层。含水层底界面埋深20～60m，局部地段为10～50m或更浅。

山前或近山前地带含水层由砂砾石中粗砂组成,中部平原东部和滨海平原区多为粉细砂和黏土裂隙含水层。黄河以北的聊城、德州、衡水、沧州等地区,粉细砂分布于古河道,水质相对较好,为低矿化度淡水,而古河道间的河间地块则为高矿度咸水或苦水,且水量亦不丰富。

山前平原水化学类型为重碳酸钠镁型水,矿化度小于0.5g/L,单井单位涌水量可达20m³/(h·m)以上,水量丰富,主要接受大气降水、河水和山区地下水径流补给,径流强烈,向平原区排泄或越流补给下伏含水层。

中部平原区的西半部,水化学类型较复杂,水的矿化度亦有较大的变化,水化学类型有重碳酸钠钙型水,矿化度1~2g/L;重碳酸硫酸钠镁型水和重碳酸硫酸氯钙镁型水,矿化度2~5g/L;氯硫酸钠镁型水,矿化度5~10g/L。中部平原区的东半部,水化学类型较西半部更复杂,主要有重碳酸硫酸钠镁型水,矿化度0.5~2g/L;重碳酸硫酸氯钠镁型水和重碳酸氯钠镁型水,矿化度2~5g/L;氯硫酸钠型水,矿化度5~10g/L。中部平原区地下水主要接受大气降水补给和地下水径流补给,局部地段有少量地下水越流补给,西半部水量较丰富,单井单位涌水量可达10m³/(h·m),东半部水量不丰富,单井单位涌水量小于2.5m³/(h·m)。

滨海平原在古河道上分布有重碳酸硫酸氯钠镁型水,矿化度小于0.5g/L;大部地段为硫酸氯钠型水和氯钠型水,矿化度10~30g/L。水量不丰富,主要接受大气降水补给,少量为河水和地下水的径流补给。地下水位高程1~2m,单井单位涌水量0.5~2.5 m³/(h·m)或更少。

近年来,由于中部平原区的东半部大量开采地下水,使得山前平原区和中部平原区的西半部,该含水层几近干枯,水文地质环境发生极大变化(恶化)。

第二篇
土体工程地质特性

第一章 土的分类

海河堤防勘察工作历时多年,鉴于此,本书仍采用水利水电工程地质关于土的分类原则。一般土的定名以及密实度等的确定,可参照表2-1-1~表2-1-9。

表2-1-1   土的粒组划分

粒级名称			粒径(mm)
巨粒	漂石(块石)		$d > 200$
	卵石(碎石)		$200 \geqslant d > 60$
粗粒	砾粒	粗砾	$60 \geqslant d > 20$
		中砾	$20 \geqslant d > 5$
		细砾	$5 \geqslant d > 2$
	砂粒	粗砾	$2 \geqslant d > 0.5$
		中砾	$0.5 \geqslant d > 0.25$
		细砾	$0.25 \geqslant d > 0.075$
细粒	粉粒		$0.075 \geqslant d > 0.005$
	黏粒		$0.005 \geqslant d$

表2-1-2   砂土、粉土和黏性土分类

土的名称		分类标准	
		塑性指数 I_p	颗粒含量
砂土	粗砂	—	粒径大于0.5mm的颗粒含量超过全重的50%
	中砂		粒径大于0.25mm的颗粒含量超过全重的50%
	细砂		粒径大于0.075mm的颗粒含量超过全重的80%
	粉砂		粒径大于0.075mm的颗粒含量超过全重的50%
粉土	砂质粉土	$I_p \leqslant 10$	粒径大于0.005mm的颗粒含量不超过全重的10%
	黏质粉土		粒径大于0.005mm的颗粒含量超过全重的10%
黏性土	粉质黏土	$10 < I_p \leqslant 17$	
	黏 土	$I_p > 17$	

注:砂土定名应根据粒组含量由大到小,以最先符合者确定。

表 2－1－3　　　　　　　　按标准贯入试验锤击数 N 确定砂土密实度

N	密实度
$N \leqslant 10$	松散
$10 < N \leqslant 15$	稍密
$15 < N \leqslant 30$	中密
$N > 30$	密实

表 2－1－4　　　　　　　　按饱和度 S_r 确定砂土湿度

饱和度 $S_r(\%)$	湿度
$S_r \leqslant 50$	稍湿
$50 < S_r \leqslant 80$	很湿
$S_r > 80$	饱和

表 2－1－5　　　　　　　　按孔隙比 e 确定粉土密实度

孔隙比 e	密实度
$e < 0.75$	密实
$0.75 \leqslant e \leqslant 0.9$	中密
$e > 0.9$	稍密

表 2－1－6　　　　　　　　按含水量 W 确定粉土湿度

含水量 $W(\%)$	湿度
$W < 20$	稍湿
$20 \leqslant W \leqslant 30$	湿
$W > 30$	很湿

表 2－1－7　　　　　　　　按标准贯入试验锤击数 N 判定粉土密实度

N	密实度
$N \leqslant 12$	稍密
$12 < N \leqslant 18$	中密
$N > 18$	密实

表 2－1－8　　　　　　　　按液性指数 I_L 确定黏性土状态

液性指数 I_L	状态
$I_L \leqslant 0$	坚硬
$0 < I_L \leqslant 0.25$	硬塑
$0.25 < I_L \leqslant 0.75$	可塑
$0.75 < I_L \leqslant 1$	软塑
$I_L > 1$	流塑

表 2－1－9　　　　　　　　　　　按压缩系数 α_{1-2} 评价压缩性

压缩系数 α_{1-2}(MPa^{-1})	压缩性
$\alpha_{1-2} < 0.1$	低压缩性
$0.1 \leqslant \alpha_{1-2} < 0.5$	中压缩性
$\alpha_{1-2} \geqslant 0.5$	高压缩性

　　除此之外,在海河流域平原区内,尤其滨海平原区内,尚分布有淤泥或淤泥质土。我们知道,淤泥类土是在静水或缓慢流水环境中沉积,并经生物化学作用形成的黏性土,大致可分为以下几种:

　　(1)淤泥质土。天然含水量大于液限含水量、天然孔隙比小于 1.5,但不小于 1.0 的黏性土,定名时应冠以"淤泥质"。

　　(2)淤泥。天然含水量大于液限含水量、天然孔隙比不小于 1.5 的黏性土。

　　(3)当淤泥的天然含水量大于 85%,但不大于 150% 时,称为流泥;当淤泥的天然含量大于 150%,称为浮泥(港湾工程有时遇到)。

第二章　一般土的工程性质

从整个海河流域平原区来看，由于成因类型、沉积环境等方面的差异，再加上地下水埋深较浅，水化学成分变化较大，造成不同的区段，如滨海平原、冲积平原和山前倾斜平原等的同一类土的工程性质差异较大。因此，对于穿越不同地貌单元的同一堤防工程，不可简单地对同一类土采用同一种参数进行设计，否则堤防工程质量将会留下程度不同的隐患。

现将不同地貌单元内不同土的物理力学参数列于表2-2-1～表2-2-5中供参考。表2-2-1～表2-2-5仅统计了几种常见的有代表性土的物理力学试验参数，几种特殊土没有考虑。综合分析不同地貌单元土体的物理力学性质，大致有如下特征：

（1）由坡洪积平原—冲洪积平原—滨海平原，土的颗粒组成逐渐变细，近海湾地带尚有淤泥质土或淤泥发育。但从总体来看，由于黄河携带物的影响和海河水系大多发源于黄土高原区，粉粒和砂粒组含量相对其他平原而言是偏高的。

（2）由于河道频繁改道、泛滥，在平面和剖面上河流故道、河间地块、决口扇、湖相沉积等不同成因类型土的叠置和混合，使土的物质组成很复杂。在平面和剖面上多呈透镜状和不规则的封闭体。

（3）由于土的物质组成较复杂，所以同一类土的物理性质和力学性质差异较大，通过几百组甚至上千组试验数据的统计，同一项试验获得的参数，大值和小值之差大者可达10倍以上，小者亦有几倍。所以，在海河流域平原区内土的物质组成变化较大，对于试验数据的应用，要做具体分析，分析每层土的具体的成土环境。

综上所述，海河流域平原区表部松散堆积物，由于物源和成因类、成土环境的不同，土体的颗粒和矿物组成、土体的物理力学性质有较大的差异，大致可分为以下3个区。

第一节　山前倾斜平原区

山前倾斜平原区主要分布在安阳—石家庄—保定—北京南—丰润一线至山前地带，其主要为由洪积扇、洪积裙等微地貌组成较平缓的山前倾斜平原，且沿山前峡窄地带展布。土体组成物由河流和面流从山区风化岩体和黄土搬运至此，主要由砂、砾石、砂壤土和壤土组成，其中砂多为粉细砂，分布于河床、漫滩和阶地的下部；砂壤土、壤土大多为由高原短距离搬运的次生黄土类土；下更新和中更新世还发育冰积红土砾石，砾石多有风化；新第三纪还有膨胀性黏土发育，主要分布邢台—焦作间的山前相对较高的台地。

第二节　冲积平原区

冲积平原区主要分布在宁津、白洋淀和大黄庄洼地带。该地带土体以冲积成因为主，夹杂湖相和海相堆积。土体组成物由滦河、永定河、拒马河、滹坨河和漳卫河等几条大河

表2-2-1

滨海平原（近海岸带）土的物理力学参数统计

土的定名	土的天然物理性质						土的天然力学性质			备注
	含水量（%）	密度 γ（g/cm³）	孔隙比 e	液性指数 I_L	压缩系数 α_{1-2}（MPa⁻¹）	弹性模量 E'（MPa）	剪切（直剪） φ(°)	剪切（直剪） C(kPa)	承载力 f_0（kPa）	
黏土	30～49	1.66～1.89	0.99～1.08	0.46～0.66	0.25～1.00	1.9～7.0	—	—	100～130	局部为软塑黏土
粉质黏土	27.1～35.3	1.72～1.95	0.76～1.13	0.62～0.77	0.20～0.80	2.3～8.0	—	—	110～160	局部呈软塑状
粉土	22.2～27.8	1.88～2.03	0.63～0.85	0.62～1.33	0.08～0.30	5.0～13.0	—	—	130～200	该表数据为干余组试验数据的算术平均值
淤泥质黏土	39.7～51.4	1.71～1.78	1.23～1.31	1.03～1.37	0.7～1.0	2.0～3.0	—	—	60～80	
淤泥	55.5～62.3	1.61～1.64	1.62～1.74	1.17～2.00	1.2～1.5	1.5～1.8	—	—	45～60	

注：上表土的渗透系数在 $n \times 10^{-4} \sim n \times 10^{-7}$ cm/s 之间，属于微或极微透水土体，对于水利工程而言，均可视为相对不透水土体。

表2-2-2

力学试验参数统计

土的定名	压缩系数 α_{1-2}（MPa⁻¹）	压缩模量（MPa）	三轴剪（U_u）		三轴剪（C_u）				渗透系数 K_{20}（cm/s）
			C（kPa）	φ（°）	C（kPa）	φ（°）	有效凝聚力 C（kPa）	有效摩擦角 φ（°）	
粉砂土	0.06～0.19	9.7～28.3	0.0～20.0	9.0～35.0	—	—	—	—	2.4×10^{-8}
粉土	0.10～0.20	10.4～23.0	11.0～12.0	20.0～33.8	—	—	—	—	2.3×10^{-4}
粉质砂壤土	0.10～0.45	3.8～13.1	2.0～64.0	2.5～27.7	47.0	28.6	22.0	32.0	2.2×10^{-4}
粉质壤土	0.09～0.50	3.9～17.3	4.0～45.0	1.1～7.9	7.0～39.0	21.1～37.0	13.0～75.0	29.6～39.8	6.8×10^{-5}
粉质黏土	0.18～0.49	4.27～10.32	2.0～97.0	2.6～20.7	5.0～43.0	17.8～18.0	26.0～30.0	22.2～28.3	—

表2-2-3

冲积平原区内土的试验参数统计

土的定名	物理性质						稠度			颗粒组成		
	含水率 (%)	湿密度 γ(g/cm³)	干密度 γ_d(g/cm³)	孔隙比 e	饱和度 (%)	比重	塑限 (%)	液限 (%)	塑性指数 I_p	砂粒 (%)	粉粒 (%)	黏粒 (%)
粉砂土	6.2~21.7	1.40~1.86	1.32~1.60	0.664~1.037	16.0~72.0	2.67~2.70	17.7~22.1	24.8~29.1	2.7~11.4	50.5~91.0	9.0~47.0	0.0~2.7
粉土	5.7~24.4	1.43~1.97	1.33~1.58	0.696~1.016	19.0~94.0	2.67~2.70	23.8	28.4	4.6	18.2~46.0	53.9~81.4	0~2.8
粉质砂壤土	4.7~29.0	1.40~1.91	1.33~1.68	0.599~1.030	13.0~95.0	2.65~2.72	17.8~21.9	24.3~32.3	3.3~11.5	7.6~78.7	15.4~86.1	3.0~9.8
粉质壤土	6.2~32.0	1.41~1.98	1.27~1.74	0.555~1.134	20.0~100	2.67~2.72	16.4~23.5	23.8~41.6	7.4~18.1	6.4~44.5	39.6~78.1	10.3~27.1
粉质黏土	19.7~38.3	1.49~2.03	1.20~1.56	0.731~1.270	51.0~100	2.70~2.74	19.4~28.3	33.3~50.2	13.9~21.9	8.7~14.6	39.6~58.6	30.1~50.9

表 2－2－4

滨海平原中部中到接近冲积平原地带土的物理力学试验参数统计表

土类型	统计	含水量 (%)	湿密度 (g/cm³)	干密度 (g/cm³)	孔隙比	饱和度 (%)	比重	液限 (%)	塑限 (%)	塑性指数	>0.25 (mm)	0.25~0.10 (mm)	0.10~0.075 (mm)	0.075~0.05 (mm)	0.05~0.005 (mm)	<0.005 (mm)	压缩系数 α_{v1-2} (MPa⁻¹)	压缩模量 E_{s1-2} (MPa)	凝聚力 C_u (kPa)	摩擦角 φ_u (°)	渗透系数 K_{20} (cm/s)
黏土	最小值	9.0	1.67	1.19	0.631	50.9	2.68	42	21.1	20.8	—	—	3.0	3.3	33.9	4.0	0.188	3.006	17.0	2.9	1.30×10^{-7}
	最大值	42.0	1.97	1.68	1.311	97.9	2.79	46.2	25.2	21.4	—	—	13.3	14.7	89.0	51.4	0.678	9.437	66.0	12.5	3.18×10^{-7}
	组数	15	15	15	14	14	14	3	3	3	—	—	2	5	5	5	11	11	8	8	3
	算术平均等值	25.8	1.86	1.49	0.874	84.1	2.74	44.7	23.7	21.0	—	—	—	—	—	—	0.396	5.539	47.1	5.5	1.67×10^{-6}
	平均值	25.8	1.86	1.31	1.177	84.1	2.74	44.7	23.7	21.0	—	—	—	—	—	—	0.396	5.539	34.5	3.4	2.44×10^{-6}
壤土	最小值	7.7	1.45	1.26	0.579	22.9	2.69	22.0	16.1	4.3	0.1	1.0	2.1	0.2	21.5	6.6	0.070	2.881	4.0	0.9	2.10×10^{-7}
	最大值	33.2	2.10	1.72	1.092	100.0	2.75	41.0	24.3	19.4	0.4	20.7	29.8	30.1	83.0	43.5	0.697	23.000	96.0	37.7	1.20×10^{-3}
	组数	71	71	71	64	64	68	30	30	30	4	7	26	36	36	36	30	30	31	31	43
	算术平均等值	19.2	1.80	1.51	0.799	66.1	2.71	28.4	19.3	9.2	—	—	—	—	—	—	0.338	6.784	27.9	11.2	1.01×10^{-4}
	平均值	19.2	1.80	1.42	0.907	66.1	2.71	28.4	19.3	9.2	—	—	—	—	—	—	0.338	6.784	14.8	3.8	5.53×10^{-4}
砂壤土	最小值	8.5	1.52	1.36	0.618	27.3	2.67	24.6	16.7	5.3	0.2	0.4	4.3	2.2	15.2	0.0	0.093	3.510	20.0	12.5	4.90×10^{-6}
	最大值	33.5	2.04	1.67	0.985	100.0	2.76	49.7	26.2	23.5	0.5	16.8	36.3	36.9	89.5	40.7	0.510	18.887	82.0	28.5	1.00×10^{-3}
	组数	35	34	34	29	29	32	26	26	26	3	12	26	30	30	29	11	11	4	4	19
	算术平均等值	22.9	1.86	1.52	0.784	77.8	2.70	30.2	22.6	7.6	—	—	—	—	—	—	0.181	13.118	52.5	18.3	2.15×10^{-4}
	平均值	22.9	1.86	1.45	0.873	77.8	2.70	30.2	22.6	7.6	—	—	—	—	—	—	0.181	13.118	31.5	12.9	5.47×10^{-3}

表2-2-5

洪坡积平原区土的物理试验参数统计

土的定名	天然含水量 $W(\%)$	天然密度 $\gamma_W(g/cm^3)$	天然干密度 $\gamma_d(g/cm^3)$	孔隙比 e	比重 G_s	液限含水量 $W_2(\%)$	塑限含水量 $W_p(\%)$	塑性指数 I_p	液性指数 I_L	湿陷系数 $(P_K=2kg)$
黄土状砂壤土	16.2~27.2	1.83~20.2	1.51~1.64	0.65~0.80	2.70~2.92	26.9~38.5	16.0~26.8	8.2~11.7	0.02~0.32	0.003~0.009
黄土状壤土	9.0~15.0	1.84~20.2	1.46~1.70	0.55~0.85	2.69~2.72	23.7~25.2	16.4~17.2	7.3~8.0	2.01~1.29	0.014~0.048
砂壤土	2.8~22.8	16.0~20.3	14.7~18.1	0.36~0.80	2.60~2.73	16.8~29.0	10.4~19.8	0.9~11.2	0.12~0.64	—

土的定名	颗粒组成(%)			压缩系数 α_{1-2} (MPa^{-1})	压缩模量 E_s (MPa)	直剪		渗透系数 $K_{20}(cm/s)$
	>0.05 (mm)	$0.05~0.005$ (mm)	<0.005 (mm)			C (MPa)	φ (°)	
黄土状砂壤土	10.5~75.0	41.5~81.5	4.0~8.5	0.12~0.26	6.48~6.79	0.015~0.02	25.0~27.6	$>n\times10^{-4}$
黄土状壤土	8.0~21.5	46.0~58.0	26.5~39.5	0.10~0.31	5.50~19.10	0.10~0.35	10.7~29.6	$<n\times10^{-4}$
砂壤土	28.5~70.0	26.5~60.5	3.5~5.5	0.12~0.34	4.96~10.52	0.015~0.02	25.0~27.6	$n\times10^{-4}$

搬运而来,夹杂海相、湖相堆积。土体颗粒组成较倾斜平原细,且含有有机质,含水量较高,固结程度差,力学强度相对较低。由于成土环境为碱性环境,在宁洼等低洼地带的边缘可能会有高钠土(分散性土)分布,今后地质勘察应予以重视。

第三节　冲积海积平原区

冲积海积平原区主要分布在黄河花园口—安阳—衡水—天津一线以东地带,主要由黄河搬运的西北高原黄土堆积而成。土体颗粒组成差别不大,粉粒含量高,有时为极细砂。有古河道、河间地块堆积,近海岸有海相和湖相堆积,这些土体含有有机质,且固结程度差,力学强度低。

第三章　特殊土的工程性质

　　海河流域平原,北面、西面分别为内蒙和山西黄土高原,平原内又多有洼地、湖或泻湖发育,处于暖温带季风气候区,成土环境比较复杂,从目前大量勘察成果来看,除前述一般土外,尚有黄土和膨胀土以及分散性土等特殊土。

第一节　黄　　土

　　自河南省郏县至北京,沿线分布有厚薄不一、成因不同的黄土类土。但是,这类土均具有黄土的基本特性——湿陷性,但湿陷性强弱和发生湿陷的应力环境有较大的差异,因此引发的工程地质问题亦有程度上的不同。

一、物质组成和物理化学特性

　　物质组成决定着工程土体物理力学特性,黄土和黄土类土是主要的粉土堆积物,其工程地质特性随着黏粒含量增高,渗透系数变小、湿陷敏感性变弱、湿陷起始压力增大、黏聚力提高。物质组成亦随成因类型、分布地貌或成土环境的不同而有差异,而且在平面上和剖面上亦有变化,如西北黄土高原干旱地区黄土的黏粒含量小于10%,胶粒含量亦仅有6%左右,但易溶盐含量却高达300~700mg/100g;在剖面上,由于古风化作用形成的古土壤层,其黏粒含量可达12%以上,但是由于黏土裂隙发育,其渗透性还会增强。所以,黄土及黄土类土的物质组成是其工程性质分析、研究的基础。

(一)颗粒组成

　　海河流域黄土类土,大多(黄河以北地段)为短距离搬运的次生(或再搬运)黄土类土,其颗粒组成受搬运形式和堆积地貌环境以及古土壤作用等因素的影响较大。在靠近山麓和岗地的次生黄土类土粗粒含量往往较高,而在山前倾斜平原和河流较高阶地上的次生黄土类土,往往发育古土壤,致使其黏粒含量增高。

　　中国西北地区典型黄土颗粒组成的最大特点是粉粒(0.05~0.005mm)含量大于50%,且以粗粉粒为主。海河流域的次生黄土类土,粒径0.01~0.1mm的极细砂和粗粉粒含量高达60%,它们共同形成了黄土类土的骨架,但是其黏粒含量(粒径小于0.005mm)相对西北高原黄土高,最高可达25%左右,其间所夹的古土壤黏粒含量可高达25%以上,粒径小于0.002mm的胶粒含量也相对较高;而山麓附近的次生黄土不仅含有碎石,而且粒径大于0.25mm的粗颗粒也有一定含量,如唐县、磁县、安阳等地段的黄土类土。

(二)碳酸盐含量

　　碳酸盐的高含量是西北高原黄土物质组成的一大特点,碳酸盐含量一般可达12%。海河流域的次生黄土类土,其 $CaCO_3$ 含量不仅含量很低(大多小于3%),而且很不均一,在山区分布有灰岩的山前地带,黄土类土 $CaCO_3$ 的含量可高达50%或含有灰岩碎屑。总的来看,海河流域的次生黄土类土 $CaCO_3$ 含量虽然低,但都含有 $CaCO_3$,都有黏土颗粒被 $CaCO_3$ 胶结的结构类型。

(三)有机质含量

我们知道,细小的有机质物质具有极性(带有电荷)和高分散性,常与黏土矿物形成有机-无机集合体,促进黏土矿物凝聚或胶结。海河流域的次生黄土类土中有机质含量很不均一,一般为 0.05% ~ 0.70%,最高可达 1.3% 左右。一般在表层次生黄土类土和下部古土壤内有机质含量相对较高,古堆积环境较低洼地段的黄土类土中有机质含量亦相对较高。

(四)易溶盐含量

黄土类土均形成于第四纪,堆积物均为粉质物,其代表土类为西北干旱气候环境下形成的黄土。因此,黄土类土中普遍含有易溶盐,反过来,易溶盐含量多少和它的化学成分,又反映了黄土类土形成的气候环境。所以,随着气候干燥程度的加重,易溶盐含量亦明显增加。据有关研究成果,中亚区黄土易溶盐含量最高可达 5%,西北高原黄土易溶盐含量则为 0.5% ~ 0.7%。海河流域的次生黄土类土,其易溶盐含量不高,大多为 35 ~ 100mg/100g,黄土类土的 pH 值在 6.8 ~ 7.5 间变化,酸碱度呈中性,仅在河北磁县局部地段黄土类土易溶盐含量相对较高,达 99.64 ~ 146.5mg/100g,土的酸碱度 pH 值为 7.4 ~ 8.1,呈弱碱性;而在徐水县附近一个试点的易溶盐含量达到 213.44mg/100g,此异常点可能与人们的生产活动有关。

海河流域的次生黄土类土,易溶盐的化学类型大多为 $HCO_3 - Ca$ 型,少数为 $HCO_3^- \cdot Cl^- - Ca^{2+}(Mg^{2+})$,个别为 $HCO_3^- \cdot SO_4^{2-} - Ca^{2+}$,这就说明,易溶盐的形成和演化与地表水和大气降水的活动关系非常密切。

(五)黏土矿物

黄土类土的质地和强度,主要取决于黏土矿物的胶结和黏结力,使其具有一定程度的黏性土的特性。测定黄土类土的黏土矿物,尤其是蒙脱石和伊利石的含量,具有重要的地质意义。黄土类土中的黏土矿物主要为蒙脱石和伊利石,有的还发现有绿泥石矿物。据曲永新等研究成果,黄河以北地段黄土类土的黏土矿物,蒙脱石和伊利石矿物都有,但是蒙脱石含量普遍高于伊利石含量,二者之比大致为 3:2 ~ 2:1。蒙脱石和伊利石含量高低,取决于黏粒含量高低,粉土类黄土蒙脱石含量小于 10%,粉质黏土类黄土蒙脱石含量一般为 10% ~ 15%,随着蒙脱石含量增加,黏聚力增高,可液化性减弱。

(六)比表面积

黏性土比表面积大小与颗粒粗细和黏土矿物成分有关,特别是与拥有巨大比表面积的蒙脱石、蛭石的含量密切相关。一般而言,比表面积越大,土的物理化学活性越强,亲水性越高;反之,则土的物理化学活性就弱,亲水性就差。

由于蒙脱石在黏粒中所占比例较高,海河流域的次生黄土类土比表面积相对西北地区典型黄土的比表面积大,一般为 70 ~ 176.1m²/g,大部分土样为 80 ~ 150m²/g,亲水性亦相对较强。

(七)阳离子交换性

黏性土的阳离子交换量一方面表示黏性土与周围介质进行离子交换的能力,离子交换量越大,土的物理化学活性越高;另一方面则表明黏性土黏土颗粒表面吸附交换阳离子的化学成分,交换阳离子成分不同,土的物理化学活性亦不同。太行山前的易县、唐县、徐水等地,土的酸碱度 pH 值为 7.41 ~ 8.77,呈弱碱性,阳离子交换量不大,仅有 13.14 ~ 20.82meq/100g,其主要交换阳离子为 Ca^{2+},且占盐基总量的 3/4 以上,次要交换阳离子为 Mg^{2+},交换性 K^+、Na^+ 均极少。

土中大量交换 Ca^{2+} 会使黏土物质凝聚而形成黄土中强结合的集合体,形成黄土类土的微结构。太行山前黄土类土交换阳离子含量虽有较大差异,但交换性阳离子 Ca^{2+} 离子所占比例是相近的。

二、天然含水率与密度

(一)天然含水率

表层土天然含水率随季节变化明显,属于天然含水率强烈变化带。下部黄土类土的天然含水率相对较高,一般为 15% ~ 28%,且天然含水率高于其塑限含水率而低于液限含水率,液性指数在 0.25 ~ 0.75 之间,呈可塑状态;少数液性指数在 0 ~ 0.25 之间,呈硬塑状态。

黄土类土的湿陷性,往往受其天然含水率的影响或控制,土体饱和度越小,其湿陷性往往较强;反之随饱和度的增加,其湿陷性逐渐减弱。从太行山前倾斜平原黄土类土天然含水率与湿陷性关系的统计资料来看,当黄土类土天然含水率大于 75% 时,黄土类土便失去湿陷性特征。从统计资料来看,该地段黄土类土的饱和度较高,含水率最低为 42% 左右,最高达 95.8%,一般都在 55% ~ 85% 间,这就决定了此地带黄土类土具弱湿陷性的特点。

(二)土体密度

西北高原典型马兰黄土的干密度均小于 $1.28g/cm^3$,且含水率小于 8% 的水工建筑物地基都具有自重湿陷性,而干密度大于 $1.35g/cm^3$,含水率大于 16% 的水工建筑物的黄土地基基本均不具自重湿陷性;这就说明黄土的干密度大小和天然含水率高低,对黄土类土的湿陷性具主导作用。根据太行山前倾斜平原黄土类土试验成果统计资料来看,黄土类土干密度最小值为 $1.33g/cm^3$,最大可达 $1.60g/cm^3$,干密度大多为 $1.35 ~ 1.55g/cm^3$ 间,相对应的土体孔隙比个别样品大于 1,绝大部试样孔隙比为 0.75 ~ 0.95 间。

综合对比和分析上述土体天然含水率、天然土体干密度和相对应的孔隙比统计资料,海河流域太行山前倾斜平原区短距离搬运次生黄土类土基本不具自重湿陷性。

三、黄土类土工程地质特性

(一)压缩性

该地段黄土类土,大多为全新世以来短距离搬运次生黄土类土,且大多分布在地表,成土时间短,固结程度差,常常具高压缩性。高压缩性土分布一般在地表下 3m 内,其他黄土类土一般具低或中等压缩性,压缩系数小于 $0.5MPa^{-1}$,压缩模量大于 5MPa,高者可达 20 ~ 25MPa。

(二)湿陷性

湿陷性是黄土和黄土类土所特有的性质,是黄土或黄土类土浸水而发生的压缩变形性质。近年来在工程地质勘察中发现,在干旱少雨地区为易溶盐胶结的砂土和砾质土因易溶盐溶解亦具有湿陷性。湿陷性根据上部荷载不同又分为自重湿陷和非自重湿陷性。

在太行山前约300余公里的范围内采取样近1 000组,试验结果表明,山前坡洪积平原区,一般没有自重湿陷性黄土,仅在个别地点存在自重湿陷性黄土,具自重湿陷性的样品仅占上述样品总数据的10%左右,并且多为弱—中等湿陷性黄土,自重湿陷系数大值可达0.052,自重湿陷量最大达6cm左右。采用200kPa荷载下的湿陷系数判定结果,太行山前倾斜平原区黄土类土具弱—中等湿陷性,湿陷系数0.015~0.070,邯郸—邢台间黄土类土干密度小、含水量低,而且具有强湿陷性。大多数黄土类土黏粒含量较高,含水量亦较高,湿陷性弱,湿陷起始压力为150~350kPa,个别为50~100kPa,且多分布在5m深度范围内,在近黄河地带局部非自重湿陷性黄土类土分布深度可达8m。

(三)渗透性

黄土和黄土类土以细砂和粉粒级为其主要颗粒组成,其黏粒和碳酸盐等均以集合体的形式附在碎屑颗粒表面,土体发育较多的大孔隙和较小的针孔,土体的渗透性往往较强,因此往往成为黄土和黄土类土主要工程地质问题之一。采用常规水头试验,太行山前黄土类土的渗透系数大多为 $n \times 10^{-4}$cm/s,个别或少数为 $n \times 10^{-5}$cm/s。

(四)强度特性

太行山前倾斜平原黄土类土,自然块剪强度相对较高,内摩擦角10°~35°,算术平均值22°左右;黏聚力在0.001~0.080MPa,算术平均值0.040左右;该地段黄土类土的强度若与西北高原黄土类比,由于其含水量较高、饱和度相对较高、碳酸盐含量较少,所以其强度相对较低。

综上所述,太行山前倾斜平原黄土类土有晚更新世黄土(局部)、晚更新世和全新世短距离搬运的次生黄土(主要的),近黄河一带晚更新世黄土尚发育有古土壤,而碳酸钙的含量亦低,天然含水量则相对较高,这就决定了该地段黄土类土湿陷性弱、透水性相对较强、力学强度相对较低的工程地质特性。根据工程对地质环境的要求,有时必须实施必要的地质工程措施有时可能为决定性的,在此基础再考虑土体物理力学参数的选取。

第二节　膨　胀　土

从目前的勘察资料来看,膨胀土主要分布在邯郸、邢台一带京广铁路以西的山前地带,主要为上第三系彰武组湖相堆积的黏土及表部风化残积黏土和第四系下更新统湖相堆积及冰水堆积黏土。根据膨胀土的成土环境和物质来源分析,太行山前的其他地段可能还会有膨胀土分布,须予以注意。

一、膨胀土成因

气候条件是膨胀土形成的主要因素之一。根据南阳盆地区及其以东地区、河北邢台附近和准葛尔盆地周边地区膨胀土的调查研究成果,膨胀土的形成受气候条件的控制,大多分布在年蒸发量大于降雨量的半干旱和温带地区,因为半干旱的气候条件下有利于水的交替循环,同时亦使水的交替循环受到一定程度的制约,使得矿物分解速度和强度减弱,矿物蚀变过程中有足够的时间和水,易于积累碱金属元素。因此,蒙脱石是在降雨量相对较少的半干旱气候条件下,具碱性介质环境(碱金属元素含量较高,而钾的含量高时更有利于蒙脱石形成),淋滤作用相对较弱的环境中形成的。

分析膨胀土的物质组成,主要来源于火成岩中的花岗岩和沉积岩中的泥灰岩、黏土岩等风化产物,经水流搬运以及在水流搬运过程中的分异作用(机械的和化学的),使蒙脱石矿物富集,经失水固结等成土作用而形成膨胀土。因此,膨胀土的成因类型包括洪积、冲洪积、湖积及残坡积等。

二、膨胀土结构特征

膨胀土体中发育有不同成因的结构面,主要有原生结构面和次生结构面,有的地区还发育有构造破裂结构面。

土中不均匀应力是形成原生结构面的主导因素。在成土过程中,由于温度、湿度和压密作用及不均匀胀缩效应引起的体积变化和土体内复杂的物理化学反应引起的力学效应,使土体破裂而形成原生结构面。原生结构面包括层面、层理、不整合面和裂隙等,而裂隙大多为隐微裂隙,且延展性不好,密度大。土体由于受剥蚀、卸荷、风化和地下水活动等使原生结构面扩展形成的结构面,亦可视为次生结构面,往往是追踪或网格状分布,裂隙内充填有各种颜色的次生黏土,这种次生充填黏土较原生黏土的膨胀性更强,因此裂隙面及其内次生充填黏土有着特殊的物理力学特征和特有的力学效应,成为工程地质工作研究的重点之一。

三、膨胀土的物质组成

一般而言,膨胀土的颗粒组成以黏粒为主,小于 0.002mm 的粒级占有相当大的比例,说明土中具有较多的黏土矿物,黏粒含量一般均大于 30%,高者可达 60% 以上。但是,因成因类型不同,颗粒组成亦有较大的差异。

膨胀土的化学成分主要为 SiO_2、Al_2O_3、Fe_2O_3,这三种氧化物的总量可占到 80% 以上,其中 SiO_2 含量相对较高,而 Al_2O_3 和 Fe_2O_3 的含量相对就少,说明黏土颗粒中石英矿物相对富集,而在黏土细小颗粒中铝硅酸盐黏土矿物相对富集。在胶粒化学成分中,硅铝分子比率大于 4.0,说明黏土矿物以蒙脱石为主。化学成分中的较活泼元素 K、Na、Ca、Mg 等碱金属含量较高,说明化学风化和风化淋滤作用都很弱,如果土的沉积环境发生变化,使伊利石脱钾转变为蛭石或蒙脱石,则膨胀土的亲水性将进一步增强,从而使土体的工程性质随之恶化。

膨胀土的黏土矿物成分,主要以蒙脱石为主,可达到 40% ~ 50%,少者亦有 15% ~ 25%;伊利石和高岭石的总含量少者为 10% ~ 30%,多者可达 40%。其他为胶体和可溶盐,可溶盐含量达 5% ~ 15%。

四、膨胀土的物理性质与水理性质

膨胀土的含水量是膨胀土产生膨胀、收缩和强度等变化的重要的物理化学条件。由于气候、水文地质环境和工程建设活动等环境的变化,膨胀土随之发生水的迁移和转化,从而导致膨胀土的工程特性发生较大的变化。当膨胀土处于干燥状态时,具有高或较高的膨胀潜势,当膨胀土含水率较高或接近饱和状态时,膨胀土则具有高或较高的收缩潜势。因此,在工程实践中,膨胀土的起始含水率就成为预测膨胀潜势的重要判据之一。

天然干密度大小亦可用来评价膨胀土的膨胀潜势。我们知道,土在一定的矿物组成和一定结构形式下,其干密度越大,孔隙率越小,起始含水率越小,土就具有高或相对较高的膨胀潜势。因此,研究和测定膨胀土的天然干密度具有重要的工程意义。

黏性土的稠度是表征黏土颗粒与水相互作用的特征指标。膨胀土黏粒含量较高、土粒比表面积大,黏土矿物亲水性强,颗粒表面水化膜厚度大,因此膨胀土表现为高液限(一般大于 50%)、高塑性(塑性指数一般均大于 17,多数大于 20)的稠度特征。膨胀土的液限(W_L)与膨胀土的性质如图 2-3-1。由图 2-3-1 可看出,膨胀土的液限越高,其膨胀性愈强;液限愈低,膨胀性愈弱。原状土由于具有张力,所以自由膨胀率高于线总膨缩率。扰动土体因原土结构破坏,体缩率与液限含水量成正比。

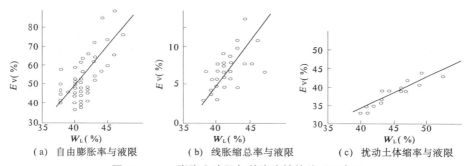

图 2-3-1　膨胀土液限与其膨胀性的关系示意图

膨胀土的透水性很微弱,室内渗透试验测得的渗透系数一般为 $n \times 10^{-6} \sim n \times 10^{-8}$ cm/s,亦有的达到 $n \times 10^{-5} \sim n \times 10^{-6}$ cm/s。但是,如果有裂隙发育,水沿着裂隙渗透其渗透系数就要大得多,甚至大于 $n \times 10^{-4}$ cm/s。

崩解性是膨胀土浸水后发生的吸水湿化现象。土体表面土颗粒吸引水分子,产生水化膜楔入效应,土体周围出现各种形状的小碎块崩落,使土体由周围向内慢慢地崩落解体。若土体发生密集的裂隙,那么土体内沿裂隙和土体周围几近同时崩解,土体很快遭到解体破坏。但是,膨胀性土在矿物组成、胶结物和结构一定时,天然含水率越高,其崩解速度越慢,天然含水率越低,崩解速度就越快。

五、膨胀土的胀缩性

膨胀土的最大特点是:当其与水相互作用时,随着含水量的增加,土体体积将会显著增大,表现出强烈的膨胀性。在土体体积膨胀过程中,受到一定的制约时,土体内即显示出一定的内应力——通常称其为膨胀力;反之,当土体中含水量减少,土体体积亦即随之减小,即通常所谓体积收缩现象,土体内即产生收缩应力。因此,可以概括为:膨胀土土体体积的膨胀与收缩是由于土与水相互作用而引起的土体内应力变化所致。膨胀土的胀缩主要由下列指标来表征。

自由膨胀率(F_s):是指膨胀土粉碎风干后一定体积的松散土粒在水中没有任何限制

条件下充分吸水产生的自由膨胀,试样膨胀稳定后的体积增量与初始体积之比。这个指标对工程而言,没有什么实际意义,但在一定程度上反映了黏土矿物组成、颗粒组成和交换阳离子成分等膨胀土的基本组成和特性。南阳盆地中更新统膨胀土自由膨胀率可达40% ~ 90%,最大达150%;克拉玛依第三系黏土岩可达100% ~ 200%。

线膨胀量:线膨胀量分为两种情况,其一是试样在无荷载而有侧向限制的条件下,吸水后沿铅直方向膨胀的增量与初始试样高度之比;其二是在有荷载有侧向限制荷载条件下,吸水后沿铅直方向的膨胀增量与初始试样高度之比。通过试验可知,一般而言,膨胀土的膨胀量随压力的增大而减小,反之亦然。当压力增到某值时,膨胀量趋于零。但是,对于同类膨胀土来说,试验的起始含水率不同,其膨胀量明显不同,起始含水率低者膨胀量大,反之则膨胀量小,甚至产生压缩。对于评价水利工程土体而言,因压力大小不等,起始含水率不同,土体浸水后,既可能产生膨胀,亦可能产生压缩,这两种变形有一个含水量和某个压力的对应关系,这是工程地质评价需要注意和重视的问题。

膨胀力(P_p):是指土体体积受到限制条件下,土体吸水后产生的最大应力。南阳盆地膨胀土的膨胀力最大可达到780kPa,克拉玛依第三系黏土岩的膨胀力最高可达1MPa。一般而言,起始含水率增大,膨胀力随之减小;而土的干密度越大,膨胀力亦越大。含水率、干密度与膨胀力的关系如图2 - 3 - 2所示。

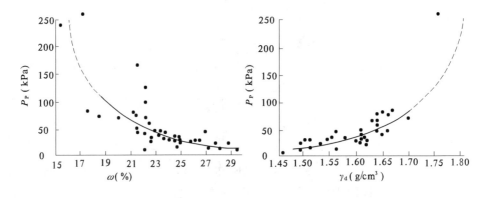

图2 - 3 - 2　含水率、干密度与膨胀力关系示意图

从资料分析来看,膨胀力与膨胀量具有近似的直线关系如图2 - 3 - 3所示,也即影响膨胀量大小的因素,同样亦影响着膨胀力的变化,如起始含水率、干密度、压应力和气候条件等。

一般而言,膨胀土的膨胀力随缩限的增大而减小,随液限的增大而增大;而膨胀力的变化要经历一个相当长的时间才能达到稳定,一般需要4 ~ 5d才能达到极大值。黏粒含量较高的黏土,膨胀力大小有一定的方向性,沿某一方向膨胀力较另一方向的膨胀力大,研究膨胀土的方向性具有很好的工程地质意义。

从工程需要的角度,研究膨胀土的膨胀速度,对于工程施工设计和地质工程措施的研究具有很大的现实意义;膨胀速度关系着一定时段内土体强度降低值的大小,又直接影响着施工程序和施工工艺的选择和设计。有时膨胀速度快的土,在加水后20 ~ 30min即完成总膨胀量的70% ~ 80%。但是,相对而言,膨胀速度快慢与土的起始含水率关系密切相关,起始含水率低,土的膨胀速度快;起始含水率高,则土的膨胀速度慢。膨胀率与时间关系如图2-3-4。

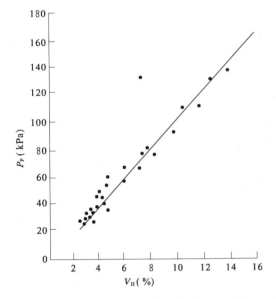

图2-3-3　膨胀力与膨胀量关系示意图

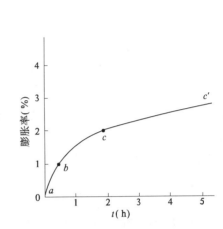

图2-3-4　膨胀速率特征曲线示意图

由图2-3-4可看出膨胀过程可分为3个阶段。

(1) a—b 段:等速度膨胀段,近于直线段。

(2) b—c 段:减速膨胀阶段,曲线段。

(3) c—c' 段:缓慢膨胀阶段,缓缓升高的近直线段。

实践证明,膨胀土的膨胀速度除受起始含水率、胶粒含量影响外,明显地受着矿物成分和土体结构特征的控制。当蒙脱石含量高,且呈鳞片状结构时,其膨胀速度很快。当伊利石含量相对较高,土体呈层状或块状结构时,水不易进入土体内部,其膨胀速度就较慢。

失水收缩是膨胀土的特性之一。评价膨胀土收缩强度或等级的指标主要有收缩含水量和收缩量两个指标。

收缩含水量(W_s):系指土体失水收缩稳定后的含水量,这一界限含水量一般称为缩限含水量,简称"缩限"。原状土的收缩过程如图2-3-5所示。

图中收缩过程曲线可以分为三个阶段:

(1) a—b 直线段为等速收缩阶段。

(2) b—c 曲线段为减速收缩

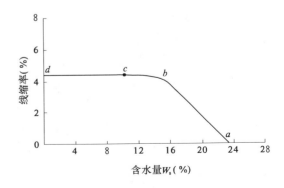

图2-3-5　膨胀土收缩过程示意图

阶段。

(3)c—d 近水平直线段为稳定收缩阶段。

一般来讲,原状土由于有一定的结合力或结构力,能抵抗部分收缩力,所以原状土的缩限大于扰动土的缩限。

收缩量:系指土体失水后体积的缩小量值,常采用土的体缩率和线缩率来表征。一般来看,同一膨胀土在含水率相同的情况下,体缩率均大于线缩率,约 10%。

从水利工程的实际运行情况来看,不管作为工程建筑物地基,还是作为修筑堤坝的材料,都存在一个反复吸水和失水的过程。对于膨胀土而言,具备了反复胀缩的环境条件,所以研究膨胀土的反复胀缩效应有效的实施地质工程,保证工程土体安全运行,就显得非常重要。但是,这方面的研究成果很少看到,长江水利委员会原勘测总队在南阳盆地膨胀土中进行过少量研究,采用两种膨胀土样,做了 4 次吸水和失水反复试验。总的趋势是,在反复吸水失水过程中,前两次膨胀呈逐渐增大,第三次循环开始,膨胀量增加的绝对值就较小,且逐渐趋于稳定。虽然试验量不大,样品亦较少,但是已经反映出膨胀土反复胀缩的基本规律,对于水利工程设计和地质工程措施选择具有重要的实用价值。

六、膨胀土的力学特性

膨胀土的压缩性一般用压缩系数(α)和压缩模量(E)来表征。对于膨胀土采用室内固结仪、钻孔旁压仪进行压缩变形试验,在压应力为 100 ~ 200kPa 时,压缩系数(α)小于 5×10^{-4}kPa、压缩模量(E)在 6 000 ~ 9 000kPa 之间,大多为中等偏低压缩性土。但是在钻孔中,土的天然含水率大于 20% 时,压缩模量亦大于室内求得的压缩模量,压缩变形量不大,且有一定的回弹变形,这亦证明了土粒间有一定的联结力。如图 2-3-6 所示。

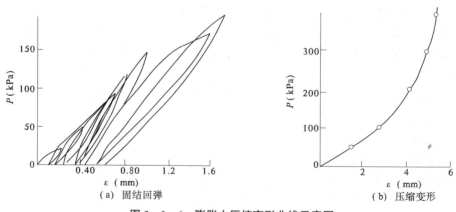

图 2-3-6 膨胀土压缩变形曲线示意图

膨胀土的应力应变曲线及其变化规律,是研究判定膨胀土在外力作用下的破坏形式,各特征点抗剪强度的必要资料。膨胀土裂隙发育的随机性和裂隙产状及形态变化的多样性,使应力应变曲线显得复杂。从南阳盆地膨胀土有弹性变形阶段、塑性变形阶段和破坏阶段等的区别如图 2-3-7。

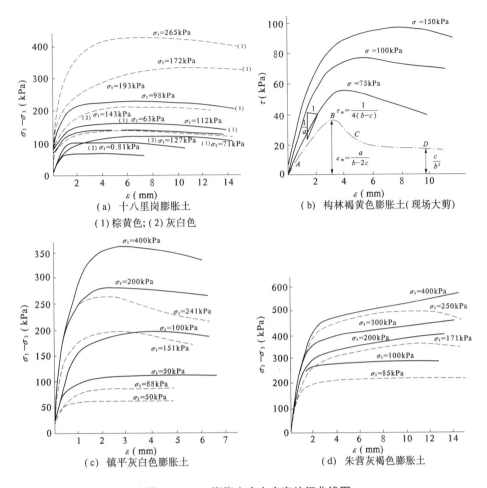

图 2-3-7 膨胀土应力应变特征曲线图

(引自南水北调中线南阳盆地膨胀土渠道工程地质研究报告)

由上述试验成果可以看出,有的膨胀土可以测出应力应变的峰值;加荷时,最初体积收缩,稍后随即膨胀。应力应变曲线大致可以分为应变硬化阶段和应变软化阶段两个阶段,如图 2-3-7(a)、图 2-3-7(b)。饱和固结不排水剪应力和固结排水剪应力应变曲线如图 2-3-7(c),从曲线的形态判断,当 σ_3 较小时,曲线呈现塑性破坏特征,没有峰值出现;当 σ_3 较大时,应力超过一定值后,曲线出现一个平缓的峰值,以后缓慢下降。从图 2-3-7(d) 来看,饱和固结不排水剪应力应变关系曲线属于硬化型曲线,而饱和固结排水剪的应力应变关系曲线(在 σ_3 较大时)属于软化型曲线。综合上述不同类型的膨胀土、不同的应力条件,所求得的应力应变曲线类型差别较大,进一步说明了膨胀土的应力应变关系是很复杂的。因此,根据水工建筑物对地基土体的应力应变要求,选择适宜的试验方法、确定试验边界条件具有重要的工程意义。

膨胀土的抗剪强度,从现行土工试验方法和试验的边界条件来看,所获取的数据与普通土没有明显的差异,但是由于原位抗剪试验的土体裂隙发育密集(由于反复胀缩应力所致),使原位抗剪(大型)指标低于室内土块试验指标,最低者仅相当于室内土块试验值的

50%左右,这一现象亦可视为试件的尺寸效应。如果膨胀性黏土土体没有裂隙发育或试件较完整,就可能不会有试件尺寸效应。这一现象同时亦提醒工程地质工程师在评价膨胀土的抗剪强度时,一定要详细、深入地考虑膨胀土土体裂隙发育程度、类型及土体结构特征,提出更符合膨胀土的实际工程强度。

土的残余强度指标是反映土比较稳定的一个特性指标,所以水利工程设计对研究和测定土体和结构面的残余强度非常重视。经实践证实,土的残余强度主要取决于黏土矿物成份、颗粒形状、黏粒含量和土的物理化学特性。大多试验者认为:土的残余强度凝聚力(C_r)大多很小或等于0,上述因素只对残余强度内摩擦角的大小影响显著。在剪切过程中,一方面,剪切面附近的扁平或近扁平状矿物很容易沿剪切面方向排列,形成抗剪强度的弱势面;另一方面剪切面附近黏土矿物膨胀,土颗粒间距增大、微裂隙张开等使土样中的水向剪切面附近运移,剪切面上含水率增高,使土的剪切强度降低到相当于土体充分软化的程度。因此,膨胀土的残余强度远低于峰值强度。有资料表明,以高岭石为主的黏土残余强度 $\tan\phi$ 大约等于 0.54,以伊利石为主的黏土残余强度 $\tan\phi$ 为 0.24,以蒙脱石矿物为主的黏土残余强度 $\tan\phi$ 约为 0.15。肯尼(T·C·keney)测定水云母类矿物 $\tan\phi > 0.3$,蒙脱石类矿物 $\tan\phi < 0.20$。水利部长江水利委员会原勘测总队做了大量试验,残余强度与峰值强度凝聚力的比值等于0.11~0.63,内摩擦系数的比值等于0.53~0.77,这亦证明了矿物成分的不同和颗粒形状的差异导致残余强度的差异。在研究膨胀土残余强度时,除研究其矿物组成外,还应研究黏土矿物的形状和破坏面附近矿物定向排列情况,以便深入分析工程土体可能的破坏形式并有效地设计地质工程措施。

对于水利工程而言,研究膨胀土反复胀缩后的强度变化亦很重要,因为反复胀缩过程是模拟了水利工程的运行情况,利用反复胀缩后的土体强度预测水利工程运行期如坝基、渠坡和堤防等工程土体的强度变化和变化趋势是非常重要的,但亦绝非是惟一的因素。因为土体经过反复胀缩后土体结构遭到破坏,土体体积亦有较大变化,土体经反复胀缩后强度降低是不难理解的,但是土体强度降低多少,这就很难用数据来表述,只能从微观分析入手,加强观测与分析来确定强度降低的幅度。一般而言,在同样压力作用下,从矿物组成来看,蒙脱石含量相对较高,土体微裂隙发育,土体反复胀缩后的强度就会有较大幅度的降低;反之,蒙脱石含量相对较少,土体微裂隙不发育,土体相对较完整,反复胀缩后的土体强度降低幅度亦就小。这虽然是宏观的一般规律,但是对于反复胀缩后的强度试验设计和分析、使用试验成果极为重要。

土体的长期强度,亦是水利工程需要很好研究的一个重要指标,无论是堤防工程还是大坝,无论作用力大小,都有一个附加的长期作用力,土体就会产生该应力作用下的流动变形,最后逐渐趋于稳定,达到某一定值——长期强度或流动变形强度。但是,长期强度的变化与其他土一样与剪应力关系非常密切,这个规律可供分析膨胀土强度时参考。

第三节　分散性土

20世纪50年代澳大利亚发现了分散性黏土,分散性黏土对水利工程具有很大的破坏性,引起了工程界的高度重视,许多国家对其进行了研究。我国于20世纪70年代在黑龙江首先发现了分散性黏土,通过深入研究,逐步认识到它的生成环境、破坏机理以及预防分散性破坏的工程处理措施等。

根据分散土生成的介质环境和物质组成宏观判断,海河流域平原区山前洪积扇前缘与冲积平原交接地带形成的低洼地的边缘地带可能有分散土生成。用分散性黏土修筑堤坝等水工建筑物,遇水后土体分散流失,造成堤坝破坏。所以,对于堤防工程而言,研究分散性土的工程特性是非常重要的。在今后的堤防工程建设中应给予高度的重视,并要有针对性地做专门的试验。

一、分散性土的成土环境

常见的黏土矿物有高岭石类、伊利石类和蒙脱石类等,它们是由地壳表面岩石风化形成,所以这些黏土矿物的形成受着气候植被、地形和母岩等因素的影响,在搬运过程中不断地发生分选和重新聚集,在成土过程中又受到水、淋滤、淀积等作用,土的矿物成分亦在不停的变化,在一定的介质环境中,土中又增添一些新的元素或矿物成分。一般来说,酸性介质环境有利于形成高岭石,如长江以南广泛分布的红土等;碱性介质环境有利于形成和保存蒙脱石矿物;成土介质环境中富含钾时则有利于形成伊利石。

二、分散性土矿物组成

不同的黏土矿物,具有不同的晶格结构,亦就决定其具有不同的物理化学和物理力学特性。我们知道,黏土矿物是由硅氧四面体和铝氧八面体加碱金属氢氧离子组成,而高岭石类属于1:1型黏土矿物,即由 1 个硅氧四面体和 1 个铝氧八面体叠合在一起形成的双层矿物,硅氧四面体中的氧离子(O^{2-})和铝氧八面体中氧基(OH^-)形成氢键,使得两片离子正好合在一起,离子间电荷基本达到平衡,晶格牢固,很少有同晶置换,晶格亦不具扩展性,与水作用亦无分散性和胀缩性,阳离子交换量亦仅有 3~5cmol/kg。

伊利石类黏土矿物属于 2:1 型黏土矿物,即由两个硅氧四面体夹 1 个铝氧八面体形成 3 层矿物结构。上下 2 个离子均为硅氧四面体中的氧离子(O^{2-}),所以叠结片之间没有形成氢键。但是,硅氧 4 面体中约有 1/4 的硅离子(Si^{4+})被铝离子(Al^{3+})置换,这样就形成每 4 个硅氧四面体单位带有 1 个负电荷,所以要求在晶格间吸附阳离子平衡负电荷,而钾离子(K^+)恰好能进入由 4 个硅氧四面体单位形成的六角网孔,所以钾离子(K^+)进去之后使得片与片之间获得很好的结合,使伊利石晶格牢固,无扩展性,其分散性和胀缩性较蒙脱石小得多。伊利石阳离子交换量亦较低,仅有 10~40cmol/kg。

蒙脱石类黏土矿物,亦属于 2:1 型黏土矿物,即由 2 个硅氧四面体和 1 个铝氧八面体叠合成 3 层矿物结构。但是,离子片之间无钾离子(K^+)联结,水是偶极体,依据离子吸引力可以进入片层之间,使晶格膨胀,产生很大的体积改变。同时,蒙脱石同晶置换较多,故具有较多负电荷,要求吸附较多的阳离子平衡多余的负电荷。当吸附较多的钠离子(Na^{2+})形成钠蒙脱石时,晶层联结弱、晶格具扩展性和具有较大的分散性;当吸附氧离子(Ca^{2+})相对较多时,形成钙蒙脱石,晶格具有较强的胀缩性,即形成膨胀性土。钠蒙脱石阳离子交换量较高,可达 80~150cmol/kg。

绿泥石是 2:1:1 型的黏土矿物,单位晶层由 1 层 2:1 型的云母层和 1 层水美石层组成一两个单位晶层间氢键和正、负电荷联结。遇有风化等因素，使水美石层的部分 OH⁻ 和 H⁺ 变为 H_2O，形成不完整的水美石层。因此，绿泥石具有一定的膨胀性，但是阳离子交换量较低，仅有 10 ~ 40cmol/kg。

除上述四类黏土矿物外，尚有混层矿物，所谓混层矿物系指黏土晶体，由数种单位晶胞或者由两种或两种以上类型的基本结构单位所组成的黏土矿物。这是矿物共生的特殊类型，在土壤和沉积物中普遍存在。伊利石或绿泥石的晶层间淋溶出少量钾离子(K^+)或 $Mg(OH)_2$ 或者由钾离子(K^+)或 $Mg(OH)_2$ 不完全吸附在蒙脱石层而形成伊利石——蒙脱石混层或绿泥石——蒙脱石混层。

三、蒙脱石类土的特性

前已述及，蒙脱石黏土矿物由 2 个硅氧四面体和 1 个铝氧八面体叠置成 3 层矿物结构，离子片间无钾离子联结，同时蒙脱石不同晶置换较多，带有较多的负电荷，故要求吸附较多的阳离子平衡多余的负电荷。当吸附较多的钠离子时，形成钠蒙脱石，钠蒙脱石晶层联结构；而水分子是偶极体，在水与土的相互作用中，在土颗粒周围形成水化膜，亦即有结合水形成，离子水化后水分子的能量要比常态的水小，因此形成的水化膜越厚，颗粒间的吸引力就越小，而水化膜的厚度取决于离子半径的大小，在一般情况下离子的半径越小，离子的水化半径越大，形成的水化膜厚度越厚，颗粒间的吸引力就越小。根据胶体化学理论，一价离子双电层厚度是二价离子双电层厚度的 2 倍。钠(Na^+)离子是一价阳离子，钠(Na^+)离子半径比钙(Ca^{2+})离子半径大，因此蒙脱石层间的交换性钠(Na^+)离子要比交换性钙(Ca^{2+})离子向层间吸引的水分子多得多，钠蒙脱石的层间扩散就比钙蒙脱石大得多，最后使土粒间失去联结力，层间间距加大，总吸引力（与层间距的 2 次方或 3 次方成反比）迅速下降，引起土结构破坏，产生土的分散，强烈地迅速分散成原级颗粒，产生流土。

钙蒙脱石，因钙(Ca^{2+})离子水化能力较小，形成的水化膜较薄，水化膜的形成不能破坏颗粒间的联结力，只会引起矿物晶格的膨胀，不会造成晶格结构破坏，亦即形成土体膨胀和收缩，土的分散性则很弱。

综上所述，分散性土的成生介质环境、矿物组成和微观矿物结构、分散性土特性等，对于堤防工程而言，无论是作为堤基还是作为堤身填筑材料，都应当在研究成土环境的同时，从微观入手，首先研究土的矿物组成，从微观分析土体破坏机理，以便有效地采取物理的、化学的以及物理化学的地质工程措施，以保证堤基和堤身的安全运行。

第三篇
堤防工程勘察

第一章 堤防工程地质问题

第一节 堤基土体地震液化

海河流域平原区地处华北沉降带,其周边有 3 条大的地震带环布,即河北地震带、山西地震带和许昌—淮南地震带,大部分地区的地震基本烈度在 7 度以上。在此种地震地质环境下,若地下水埋深较浅而堤基土体中又夹有少黏性土或砂性土时,则需考虑堤基土振动液化问题。例如:1966 年邢台地震对滹沱河北大堤和白洋淀千里堤的破坏,1976 年唐山地震对滦河大堤和永定新河、塘沽附近堤防堤基的破坏,等等,都是堤基砂性土振动液化破坏的实例。地震液化破坏的土体均为无黏土或少黏性土体。

地震液化判别目前尚无完整的、系统的定量评价方法,一般应用以下经验判别方法。

一、综合判定法

一般判别是否液化土层的埋深不大于 15m。在埋深 15m 范围内,判别土层是否可能液化,首先,从土层形成年代、颗粒组成、地下水位埋深来判别;然后,再用砂土的相对密度、少黏性土的黏粒含量和含水量来判别其是否可能液化。一般认为全新世地层中的少黏性土或无黏性土易发生液化,相对于地震烈度 7,8,9,10 度区的土体黏粒含量少于 14%,16%,18%,20%,22% 的均初判为液化材料;相对密度小于 0.65,0.70,0.75,0.80,0.85 ~ 0.90 的亦初判为液化材料;粒径大于 5mm 的颗粒含量大于 70% 可初判为不液化材料;地下水位以上的非饱和土层可判为不液化材料。饱和少黏性土的相对含水量 $W_\mu > 0.9 \sim 1.0$ 时和液性指数 $I_L > 0.75$ 时,可初判为可能液化材料。相对含水量计算如下式:

$$W_\mu = \frac{W_s}{W_L}$$

式中 W_μ——相对含水量;

          W_s——饱和含水量;

          W_L——液限含水量。

二、剪切波法

剪切波测试,孔深要求不小于 60m,否则测得的剪切波就有较大的误差,计算公式为:

$$v_{st} = 291 \sqrt{K_c \cdot Z \cdot r_d}$$

式中 v_{st}——剪切波速,m/s;

          K_c——地面最大地震加速度系数,相应地震烈度 7,8,9,10 度时取值分别为

                  0.1、0.2、0.4 和 0.8;

Z——土层埋藏深度,m;

r_d——深度折减系数,深度 $0\sim30$m 相应折减系数为 $1\sim0.1$。

当土层实测剪切波速(v_s)小于上式计算剪切波速(v_{st})时可判定为液化,反之则判定为不液化材料。

三、标准贯入击数判别法

利用标准贯入击数判别法判别少黏性土是否是可能液化材料,当埋深为 d_s 处的饱和少黏性土的标准贯入锤击数(未经杆长修正),小于按下式计算出的液化临界锤击数 N_{cr} 时,可判定为液化材料,反之则可判为不液化材料。

$$N_{cr} = N_c[0.9 + 0.1(d_s - d_w)] \cdot \sqrt{\frac{3\%}{P_c}}$$

式中　　N_{cr}——液化临界锤击数,击;

N_c——液化判别标准贯入击数基准值,击;

d_s——标准贯入点距地面深度,m;

d_w——地下水埋藏深度,m;

P_c——土的黏粒含量百分数,%(小于 3 时,取 3)。

四、标准爆炸判别法

标准炸药(2# 硝铵炸药)5kg,埋深 4.5m,爆炸后,以炮点为中心,以 5m 为半径的范围内引起地面平均沉降量(S)来估判土层的抗剪强度,如表 3 – 1 – 1。

表 3 – 1 – 1　　　　　　　　　　地面沉降与土的可能液化性

地面平均沉降量 S (cm)	砂土密度与液化可能性	地面平均沉降量 S (cm)	砂土密度与液化可能性
>20	极松(很可能发生液化)	4～10	中密(很少发生液化)
10～20	松(可能发生液化)	<4	紧密(不可能发生液化)

利用爆炸方法,只能判别在一定地震强度时土层是否液化,但不能提出液化的临界标准,故这种方法一般不采用。如果采用爆炸法,爆炸时要用地震仪观测爆炸强度等。

五、估算液化剪应力方法

采用周期荷载理论,把地震对地基的作用看做是一种垂直地面向上传播的水平剪切波,水平剪切波往返剪切使饱水少黏性土液化。这种剪应力,可以概化为一定循环次数的均匀的剪应力。据有关观测资料,当发生 7、8 级地震时,地面所受剪应力循环次数分别为 10 次和 30 次,据此,当动三轴试验孔隙水压力等于其外压力时,即为初始液化的临界应力。当地面下任一深度饱和砂土的地震剪切应力 τ_c 小于同一深度饱和砂土液化的临界剪应力 τ_s 时,则判定为可能液化,反之则为不液化材料。计算公式如下:

$$\tau_c = 0.65 \frac{a_{max}}{g} \gamma_c \sum \gamma \Delta h$$

式中 τ_c——地震剪切应力(地面下某深度);

a_{max}——地面地震峰值加速度,m/s^2;

γ——土体天然密度,g/cm^3;

Δh——土层厚度,m;

γ_c——地震水平剪应力随深度变化折减系数,见表 3-1-2;

g——重力加速度。

表 3-1-2　　　　　　　　　　　　γ_c 经验值

深度(m)	0	5	10	15
范围值	1	0.95 ~ 0.99	0.85 ~ 0.95	0.60 ~ 0.80

$$\tau_s = C_r \cdot C_d = \frac{\Delta\tau}{\bar{\sigma}} \cdot N \cdot D_r \cdot \Delta h$$

式中 τ_s——液化临界剪应力;

C_r——动三轴校正系数,随相对密度变化而变化,如表 3-1-3;

C_d——相对密度校正系数;

D_r——砂土的相对密度。

表 3-1-3　　　　　　　　　　　　动三轴校正系数 C_r

相对密度	0 ~ 0.4	0.5	0.6	0.7	0.8	0.9	1.0
C_r	0.55	0.57	0.6	0.64	0.68	0.72	0.80

第二节　渗透变形破坏

海河流域平原区筑堤土料以壤土、砂壤土为主,其渗透系数多在 $1\times10^{-5} \sim 1\times10^{-6}$ cm/s 之间,属微弱或极微弱透水层;而砂性土的渗透系数一般大于 1×10^{-4} cm/s,属弱或中等透水层,往往成为地下水集中渗漏的通道。在堤身直接坐于砂性土地基之上的堤段,如古河道、分洪口门以及历史上曾出现过决堤溃口段等,由于缺乏防渗保护,堤防与堤基土接触带,最易成为集中渗水通道,当堤内外水位差异明显,且超过土体的允许水力坡降时,堤基土体即发生渗透变形破坏。此外,不少堤段堤身土中埋藏有中等以上透水性的砂土,且多以鸡窝状、局部夹层或不稳定的条带状和透镜状分布,因其渗透性明显强于黏性土,当河道过水时,将成为主要的渗水通道。当堤内外水位差超过堤身土的允许水力坡降时,堤身土体将发生渗透变形破坏,尤其是砂土连续分布且贯穿堤防时,极易由管涌破坏发展成为决口或溃堤。

一、渗透变形类型的判别

根据土的颗粒分析资料,流土和管涌根据土的细粒含量,通常采用下列方法判别:

流土

$$P_c \geqslant \frac{1}{4(1-n)} \times 100\%$$

管涌

$$P_c < \frac{1}{4(1-n)} \times 100\%$$

式中 P_c——土的细粒颗粒含量,以质量百分率计,%;

n——土的孔隙率,h。

对于不均匀系数大于5的不连续级配土通常采用下列方法判别:

流土型 $\quad P_c \geqslant 35\%$

过渡型 $\quad 25\% \leqslant P_c < 35\%$

管涌型 $\quad P_c < 25\%$

对于接触冲刷宜采用下列方法判别:

对于双层结构的地基,两层土的不均匀系数均等于或小于10,且符合 $\frac{D_{10}}{d_{10}} \leqslant 10$ 的条件时,不会发生接触冲刷,其中 D_{10}、d_{10} 分别代表较粗和较细一层土的颗粒粒径(mm),小于该粒径的土重占总土重的10%。

接触流失宜采用下列方法判别(对于渗流向上的情况,符合下列条件将不会发生接触流失):

不均匀系数等于或小于5的土层

$$\frac{D_{15}}{d_{85}} \leqslant 5$$

不均匀系数等于或小于7的土层

$$\frac{D_{20}}{d_{70}} \leqslant 7$$

式中 D_{15}、D_{20}、d_{85}、d_{70}——分别代表较粗和较细土层小于该粒径的土重占总土重的15%、20%、85%、70%。

根据颗粒分析资料,海河流域平原区砂性土的不均匀系数平均值为3~5,但是大多小于3。所以,宏观判别其渗透变形破坏形式以流土为主,局部地段因上覆或下覆砂性土偏粗,与下覆或上覆黏性土接触带有可能产生接触冲刷破坏。流土破坏不像管涌破坏那样,细颗粒从粗颗粒形成的骨架中被带走流失土体破坏较缓慢;而流土发生时,全颗粒同时移动,具突发性大面积破坏的形式,因此流土破坏较管涌破坏更具危险性。

二、临界水力比降的确定

在评价土体的抗渗强度时,通常采用抗渗比降这一指标,因此抗渗比降这一参数亦就成为评价土体抗渗和对土体抗渗加固设计中重要的定量参数。确定流土和管涌的临界水力比降,一般采用太沙基公式计算:

$$J_{cr} = (G_s - 1)(1-n)$$

式中 J_{cr}——土的临界水力比降;

G_s——土的比重；

n——土的孔隙率。

管涌型或过渡型临界水力比降，采用下式计算：

$$J_{cr} = 2.2(G_s - 1)(1 - n)^2 \frac{d_5}{d_{20}}$$

式中 d_5、d_{20}——分别占总土重的5%和20%的土粒粒径，mm。

管涌型临界水力比降亦可采用下式计算：

$$J = \frac{42 d_3}{\sqrt{\dfrac{k}{n^3}}}$$

式中 k——土的渗透系数，cm/s；

d_3——占总土重3%的土粒粒径，mm。

还有的采用工程类比方法确定土体的临界渗透比降等。

以上对渗透变形类型判别标准、各种破坏类型的临界水力比降的确定，都应属于经验范畴，不能反映因成因类型、土体微结构、固结程度不同造成的土体抗渗强度的差异。在技施设计中，应采用渗透变形仪实地测定土的临界比降值和破坏比降值，再根据土体结构、计算边界条件和工程对抗渗的要求给予适当的折减，作为评价土体抗渗强度或抗渗加固设计的依据是适宜的。部分堤段堤基砂性土渗透变形试验成果如表3－1－4。

表3－1－4　　　　　　　　　　　砂性土渗透变形试验成果

土的定名	临界比降值	破坏比降值
壤　土	0.90～0.95	0.02～0.04
砂壤土	0.85～0.95	0.03～0.06
粉细砂	0.90～0.92	0.017～0.019

第三节　堤身土开裂与沉陷

堤身出现开裂或沉陷是堤身土破坏的最常见形式，其结果是破坏了堤防的整体稳定性，使其抗震性和抗冲刷能力大大下降。堤身出现开裂或沉陷的原因主要有两种：其一为软土堤基沉陷；其二则为上堤土料质量不良导致施工质量差。

软土在海河流域滨海平原区分布较广泛，且在陆相、海相地层中都有发育，主要为淤泥、泥炭层和淤泥质土等。根据试验结果，软土具有如下工程特性：

（1）高孔隙比和高含水率。天然孔隙比大于或接近1，天然含水率大于液限含水量，单个孔隙亦大，土体孔隙充填着结合水和毛细水，甚至是重力水（自由水），土颗粒间黏结力小，因而土体抗剪强度低，不固结不排水剪内摩擦角（φ）一般小于5°。由于毛细水和重力水容易排出土体，故土体又具高压缩性，压缩系数在0.5MPa^{-1}以上，地基承载力则小于50kPa。

(2)触变性高。由于毛细水和重力水多、土颗粒间结合力弱,毛细水和重力水在外力作用下,很容易析出土体,故软土的十字板剪切灵敏度一般为3~4,个别达8~9或更大。因此,软土地层被扰动或震动后,易产生滑动、变形或基础土体向两侧挤出等破坏现象。

(3)流变特性。土体在荷载作用下,随时间延长,地基土体将产生连续变形的特性。软土在相当小的剪切荷载作用下,在特定条件下,其变形可能长期发展,产生漫长的剪切变形和抗剪强度衰减,与此同时,产生较大的固结沉降,这对堤防边坡和节制闸等的地基稳定影响较大。

(4)弱透水性。软土土体的渗透系数仅为 $n \times 10^{-6} \sim n \times 10^{-8}$ cm/s,对于软土地基土体而言,加荷初期或迅速加速过程中地基土体内孔隙水压力不易消散,土体固结时间长,影响着地基土体的强度和稳定。

由此可见,在滨海地带,当堤防基础中夹有软土时,常常出现基础不均匀沉陷并诱发堤防工程出现开裂和沉陷等现象。此外,海河流域河道堤防上堤土料一般是在堤内或堤外就近采取,滨海地区有相当一部分堤防的上堤土料为黏土甚至是淤泥质土。黏土或淤泥质土颗粒组成细,亲水性强,含水量一般大于20%~30%,淤泥质土的含水量更是高过其液限含水量,施工中不易夯实。由于堤身土结构松紧不均,导致堤身土体中上部普遍出现不规则分布的开裂现象并有碟状沉陷。

第四节　堤身土散浸

以砂性土为主的堤段,若施工中随意填筑,导致土体结构松散,则迎水面在无护坡处理情况下过水时易出现散浸现象,严重者会发生塌岸直至决口溃堤。

土堤背水坡坡脚产生散浸,主要是毛细带中的毛细水造成的。

由图3-1-1可以看出,堤基土为双层结构,堤基上部为透水弱的壤土层,其下覆透水性较强的砂性土,砂性土在河床临空。堤基土在河水的作用下,在堤身土体迎水坡脚附近和堤基上覆壤土层内形成含水带,含水带的厚度与河水作用于堤基土体的水头(H_0)和壤土及堤身土体的起始水力坡降值(I_0)的大小有着极为密切的关系,计算公式为 $T = \dfrac{H_0}{I_0 + 1}$;含水带内的土是饱水的,由于黏性土的毛细力作用,所以在含水带的上方,必然形成一个毛细带,毛细带内主要是毛细水,毛细带厚度(即毛细水上升高度,上升高度不能等同毛细力)为:

$$H_K = \frac{P_K}{I_0 + 1}$$

式中　H_K——毛细水上升高度或毛细带厚度;

P_K——毛细力;

I_0——起始水力坡降。

当毛细带顶部在堤背水坡脚出现时,亦即毛细水上升至坡脚地表,地表形成长期潮湿、有时野草茂盛、在北方半旱地区有时有盐渍化现象。如果堤基土为单一结构,且为透水性较好的砂,如图3-1-2。

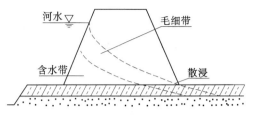

图 3-1-1　堤背水坡脚散浸示意图

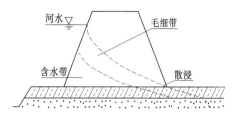

图 3-1-2　含水带在背水坡脚出露地表示意图

由图 3-1-2 可知,当砂层透水性较强,而堤身断面(横断面)较小,堤身土体下部的含水带有可能在堤背水坡脚附近上升至地表或高出地表面,使该处土体饱水。这会使堤身下部含水带中的土体强度将大大降低,严重影响着堤防工程运行的安全;即使从最好的情况估计,在堤背水坡脚附近形成盐渍化或沼泽化带,如果堤背水坡外地势较低,亦可能形成两水夹堤的形式,对堤防工程的稳定不利。

堤防工程背水坡有水出露的最坏情况,如图 3-1-3 所示。

图 3-1-3 所示浸水现象的发生,可能有如下几种原因:

(1)堤身土体填筑质量极差,几乎由松散土体组成,且具架空或大孔隙结构。堤身土体内除有结合水和毛细水外,重力水(自由水)占据了主导地位,起着主导作用。

(2)沿堤横向有动物洞穴发育,沿洞穴向堤背水坡渗水。

(3)沿堤横向有裂缝发育,但是这种裂缝必须具有一定的宽度,才能使河水沿裂缝向堤背水坡外渗流。我们知道水在裂隙中渗流过程中,必须首先克服裂缝壁结合水的阻力,水才能流动;所以堤身土体有裂缝亦不一定能透水,有时裂缝达到一定宽度,初期有水渗出,但是由于裂缝土体有自淤作用,很快将裂缝淤堵,如图 3-1-4,裂缝不再渗水。能透水和能够产生自淤的裂缝宽度,与土体的颗粒组成密切相关,所以要确定裂隙产生自淤的宽度和相应的作用水头压力,应做相应土的自淤试验来确定。这些数据不仅对评价堤防工程的质量和稳定性极为重要,同时亦为选择加固地质工程的措施提供科学依据。

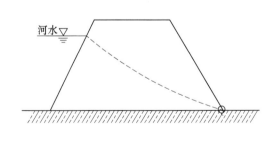

图 3-1-3　堤背水坡脚散浸示意图

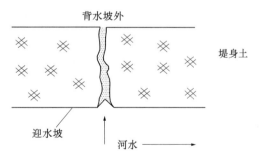

图 3-1-4　含水带在背水坡脚出露地表示意图

第五节　其　　他

各种穿堤建筑物或穿堤公路,沿河道两岸疏密不均地排布,破坏了堤防的整体稳定性,在洪峰来临时易出现管涌或堤防决口。而动物活动造成的堤防洞穴则是河道行洪时洪水外渗的集中通道,极易诱发堤身管涌破坏。

此外,在膨胀土、黄土和分散性土等特殊土分布区段修筑堤防工程,需注意其特殊的工程特性。膨胀土和分散性土不宜作为上堤土料,否则极易诱发堤防边坡鼓胀或蠕滑破坏,分散性土则易出现堤身"流土",湿陷性黄土分布地段应注意堤基沉陷。

第二章　堤防工程土体质量检查方法

堤防工程,是水利工程的重要类型之一,与其他类型水利工程不同之处在于,堤防工程为沿河道展布、蜿蜒数十里甚至数百里的"线形工程"。

堤防工程由堤基和堤身两部分组成。海河流域平原区,河流和洼地发育,古河道、河间地块、决口舌和决口扇等微地貌类型繁多,各类型地貌在剖面上又多次叠置,使第四系松散堆积物的成因类型、物质组成和成土环境(古地理环境)等在平面和剖面上均呈现复杂的变化,土层在剖面上往往呈现透镜体状或薄层状、夹层状展布。不同堤段甚至同一堤段的不同位置,堤基土体都有可能出现很大的变化。在这种地质环境中修筑的堤防工程,尽管堤基土体的地质条件十分复杂,给地质勘察工作带来一定的困难,但是各种堤基土体毕竟是不同成因类型的"地质体",只要充分分析成土环境和微地貌类型,详细进行勘察工作计划与布置,有针对性地采用有效的勘察手段和方法,即可查清堤基土体的工程地质、水文地质条件和存在的工程地质、水文地质问题。

堤身土作为人工填筑的"工程体",不能等同于堤基土,其工程质量受设计、施工、运行环境以及人类活动等诸多因素的制约和影响,加之成堤多年后穴居动物的活动与破坏,堤身土体的工程隐患具有十分明显的随机性和不可预判性。

海河流域平原区堤防工程,由山前洪积扇直到滨海冲积平原,穿越了不同的地貌单元,其间沉积的第四系松散堆积物不仅成因类型复杂,而且物质组成多变,而堤防工程一般是在堤内或堤外就地取材堆筑而成,由此导致不同地段堤身填筑土,在物质组成和土层结构均存在较大的差异。此外,对上堤土料没有采取必要的选择或拌和措施,随意就地取土填筑,施工过程中未采取严格的施工质量控制,将使填筑土体的疏密程度很不均一。上述因素使得堤身土体的结构和填筑质量变化繁复,而且具有极大的随机性,不易寻找其规律性。

综上所述,作为堤基土体的"地质体"与人工修筑的"工程体"——堤防,有着明显的区别,研究前者的工程地质特性已经形成较为成熟的工程勘察理论、技术和方法,有着指导和控制研究成果质量的规程规范。对于堤防的质量检查,则不能机械地照搬地基土体的勘察手段和方法。如何行之有效地检查堤身土体的工程质量,是近年堤防工程勘察工作中发现和提出的新课题。

总结近几年来对 2 000km 已建堤防工程质量勘察经验,我们认为应采取与堤防工程建设程序相逆的反衍思路来设计和确定勘察程序、勘察手段和勘察内容,即了解堤防工程环境→了解施工工艺和填筑质量检测成果→了解原设计标准和设计依据→了解原勘察成果和结论;除此以外,尚应了解堤身土体填筑质量标准与现行有关堤防工程的规程规范规定的技术标准的一致性等。根据这样的思路,我们采用的勘察方法、勘察工作项目和工作步骤如下所述。

第一节　地质调查(地质测绘)

地质调查是地质勘察的基础工作,调查成果是指导勘探、试验工作的基础,是不能缺少的资料。对于已建堤防工程进行地质调查过程中,堤基土的地质调查与通常工程地质测绘的内容和方法基本是一致的,没有明显的区别;而对于堤防工程土体的地质调查与通常的工程地质测绘则有很大的差别,这是由工程体质量分布特性与"自然地质体"的不同所致。实践证明,采用如下地质工作步骤和调查内容是比较合适的。

一、收集资料

地质调查收集的资料包括以下几方面:

(1)堤防工程展布地带的地貌及第四纪地质资料;

(2)堤防工程原地质勘察资料和评价意见;

(3)堤防工程布置形式、堤防工程结构和原工程等级及设计标准;

(4)堤防工程施工工艺和填筑质量检测资料;

(5)堤防工程运行中出现的工程问题及后期处理措施等。

综合分析、研究上述已有资料,宏观判断堤防工程展布地带微地貌形态,第四纪松散土堆积的介质环境、成因类型、物质组成和土层结构等。根据土的成因类型、设计标准、施工工艺和后期运行情况,宏观判断堤防工程可能存在的工程质量问题,有针对性地再进行野外实地地质调查。

二、野外地质调查

(1)堤防工程外部形态、表部面流冲刷强度和冲刷破坏形式、堤脚积水混浊程度和干涸后泥质物的颗粒组成。

(2)堤内外地形形态、积水洼地和深坑、人工地貌形态和规模等,堤内外河床和地面高程。

(3)堤基土层结构包括单一结构、双层结构和多层结构等。对于较强和强透水层,应调查其在堤内外临空情况、临空面的堤基部位和形态等;对于堤基顶面的相对隔水层,应调查其厚度、空间展布情况。

(4)河水与堤外地下水的补排关系,在干涸河道段应调查堤内外地下水埋藏深度和补排关系。

(5)穿堤建筑物的结构形式与堤身土体的关系、运行情况、背水坡外积水和冲刷情况等。

(6)堤防工程所处人文环境等。

综合分析上述实地调查资料,宏观判断筑堤土的特性、筑堤填筑质量缺欠、堤基土结构和地下水埋藏情况等,并布置钻孔和试验工作,验证地质判断结论的正确性。

第二节　勘　　探

应在综合分析前人资料和前述地质调查的基础上,针对堤防工程可能存在的工程问题(堤基或堤身土体),有针对性地布置钻孔,并与物探测试工作有效结合。

钻进采用干钻,不得采用清水循环液和泥浆固壁钻进。钻探要求回次进尺要小,取芯率应达到100%,用薄壁取土器,采用压入或钻进较好,保证准确划分土层的厚度和分布高程、原状土样不被扰动或把原状土样扰动部份限制在土样周边很小的范围内。扰动样应在全土层或全孔采取,当样品太多时,应采用四分法选取部份样品。试验成果标识在钻孔柱状图和地质剖面图上,如图3-2-1所示。

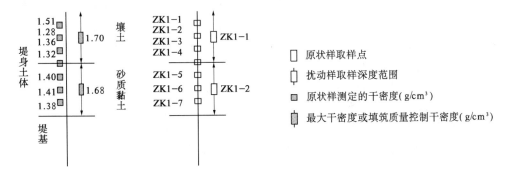

图3-2-1 钻孔取样位置及试验成果标识示意图

钻探过程中遇到地下水,尤其在黏性土中遇到地下水时,应立即观测地下水位,直至观测到稳定水位为止,而后再进行钻进;在钻进过程中要注意地下水位变化情况,终孔后再观测稳定水位。如果钻进过程中,自初见地下水位开始,随钻孔的不断加深,而地下水位不断上升,则应揭穿黏性土层,直至钻至含水层内,最后再观测稳定水位,以便分析黏性土层可能存在的含水带,并计算黏性土层下部含水带厚度(T)和黏性土具有的起始水力坡度值(I_0),如图3-2-2所示。

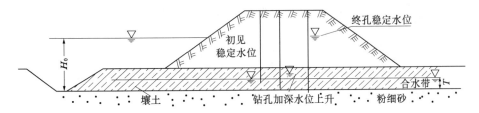

图3-2-2 黏性土含水带(T)地下水位变动示意图

孔距、孔深需根据不同堤段以及孔内的地质情况进行调整。如果堤基顶部为砂或极细砂层,下部为黏性土层,钻孔深度设计应考虑揭穿砂层钻进到黏性土层内,以利于判断和分析堤基渗透的边界条件;如果堤基土体为多层结构,钻孔深度设计应考虑钻孔揭露深度内黏性土的总厚度,若各土层在迎水坡内临空,钻孔应钻至河床最低高程以下一定的深度;如果堤基土体为单一结构,则孔深深入堤内外地面或河床最低点以下一定深度即可。

钻探结束后,要严格回填封孔,封孔材料可用钻孔取土,但回填土体密度不能小于孔壁土体的密度,以防因回填封孔质量差,而给堤身土体留下新的隐患。堤身土体物质组成复杂的堤段,最好采用探井勘探,以便较准确地观察土体的颗粒组成和详细分层,并有利于分层取样。探井的深度与设计钻孔深度一样,应考虑堤基土层结构;探井内遇有地下水时,应及时观测初见水位、探井开挖过程中的水位变化及最终井内的稳定水位,并及时分析地下水与河水、堤内外地下水的补给和排泄关系等。

第三节 土工试验

通常的土工试验,包括原位测试和室内土工试验。原位测试主要有十字板剪切、标准贯入试验、剪切波测试等,河道枢纽工程地基有的做大型剪切、变形和旁压试验等。室内土工试验,绝大部分的试验项目为土的常规试验项目,根据土体物质组成、不同的隐患类型试验项目组合亦不同;另外,根据堤防工程不同级别和不同的地质勘察阶段,试验项目做些适当的增减,试验组数亦可适当的调整。

对于已建的填筑质量较差一级、二级堤防工程或城市附近的重要堤防工程,或堤基土渗透性相对较强的土层,应做土的渗透性和抗渗强度试验,若因试验样品体积较大,不易采取原状样时,可按其天然密度重塑样品做试验。对于一般黏性土来说,尤其是堤身土重塑样与原状样试验成果没有太大的差别,而对于硬黏土或裂隙发育的黏土试验成果差异较大,遇有这种情况,由地质工程师与试验工程师共同研究解决。试验不能采用常规的渗透仪,应采用图3-2-3所示渗透变形测试仪。

有的堤防工程,由于黏性土收缩或由于分段填筑,产生了一些裂缝。通过地质调查,已查明裂缝的展布情况和宽度,这些裂缝会不会透水,或这些裂缝会不会产生自淤,这都可以用该渗变仪做裂缝的自淤试验。

有的堤段向背水坡渗水严重,需在背水坡脚加反滤压重,可用该渗透仪做反滤料颗粒级配选取试验,以使反滤层达到最佳的反滤效果,保证堤防工程的渗透稳定。

该渗变仪,采用固定水头,在透明缸体外部量取黏性土体下部含水带的厚度(T),以确定在相应干密度下土体渗透时的起始水力坡度值(I_0),试验装置如图3-2-4所示。

图3-2-3 大型渗透仪示意图
(引自李元富、李秀环设计专利)

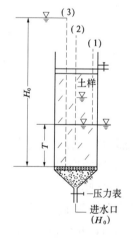

(1)—加水头压力为自动可调试加压;
(2)—水头观测为自动观测;(3)—有直径不圆的一套试验筒;
(4)—可做砂砾石和土的渗透试验

图3-2-4 求 I 试验

(1)渗变仪下部为透水垫层。

(2)通过压表控制给定水头 H_0。

(3)T 为渗变仪缸体下部形成的含水带厚度。

(4)渗变仪下部含水带中的水具有潜水和承压水的双重性质,所以在插入透明玻璃管时,有下述 3 种情况:①为初见水位具有潜水性质;②当透明玻璃插入含水带后水位不断上升,插入深度增加值大致与水位上升高度成正比;③当玻璃管插入下部透水层时,管内水位上升到与进口压力相等的高度,此时可用式 $T = \dfrac{H_0}{1 + I_0}$ 求取土的起始水力坡度值 (I_0)。

(5)求取起始水力坡降值(I_0)的试验,受到土的矿物组成及水质、水温等诸多因素的影响,所以试验用水最好与土相一致的同一河道中的河水,使试验误差降到最小。

通过上述试验可以获得下列评价堤防工程质量的资料:

(1)工程土体的渗透系数。

(2)堤身或堤基土体、渗透破坏的类型、相应破坏类型的临界水力坡降和破坏水力坡降。

(3)土体裂缝渗水和可以渗水自淤裂缝的宽度。

(4)选取反滤料合理的颗粒级配。

(5)测得黏性土体水渗透的起始水力坡降值(I_0)。

为了获得土体干密度和地理物球勘探所需物性间的关系,需要做地球物理勘探室内试验:一要做原状土样声波波速测试;二要做重塑大型土样的地震、地质雷达和高密度电法的测试。

当然,采用砂砾料填筑的堤防工程,即要求求取砂砾料相对密度与物性参数间的关系。这样一来,就可以采用室内求取的干密度或相对密度与物性参数间的关系来评价已建堤防工程的钻孔间的堤身土体填筑质量。

第四节　工程地球物理探测

利用物探方法探测堤防质量主要是对堤身、堤基以及拦(泄)洪闸闸基混凝土质量进行评价。具体工作可归纳为:

(1)探测存在于堤身、堤基的裂缝、洞穴、决口口门以及松散、软弱堤段等不良地质现象的空间分布情况。

(2)评价堤身土体质量、密实度。

(3)探测堤身护坡、闸室护坡护砌结构和护砌质量。

(4)探测闸室底板混凝土质量及其与基础的结合状况。

一、物探手段的适用性

各类堤防隐患与正常堤身(堤基)介质之间、各类岩土介质之间具有一定的电磁、电性和弹性差异,具备利用综合物探提高勘察效果的物理前提。同时,地震勘探可有效揭示地下水位界面之上下介质的波速和地下水的埋深。堤顶平坦,通视条件好,交通便利,有利于纵测线的布设。沿堤防分布有一定数量的钻孔,有利于物探资料的解释。

利用物探手段检查堤防工程质量的不利因素是,堤防地段地下水位埋深较浅、矿化度较高、沿堤存在大量的动力架空线及含钢筋的水泥电杆、近堤工厂建筑物、过往车辆等,对探测的深度和精度均有影响。

二、堤防质量探测的技术路线和方法原理

针对上述物探工作项目,采用综合物探能够获得较好的勘察效果。具体使用方法如下:

(1)用探地雷达普查堤身、堤基,发现异常用高密度电阻率法或地震波法佐证。

(2)评价堤身护坡浆砌石质量、闸基混凝土质量可采用探地雷达法和声波测试法。

(3)用地震折射波法或瑞雷波法以及土样声波测试成果与土工试验成果的对比分析评价堤身土体质量。

(一)探地雷达

1. 基本原理

探地雷达的基本原理是基于高频电磁波理论,工作方式是以宽频带、短脉冲的电磁波形式,由地面通过发射天线 T 射入地下,经地下地层或目的体(借助堤防松散区、软弱夹层、不均匀沉陷带以及裂缝、洞穴等隐患与堤防正常介质的电磁性差异)反射而返回地面,被另一天线 R 所接收。

雷达图形常以脉冲反射波的形式记录。波形的正负峰分别以黑色、白色表示,或者以灰阶或彩色表示,这样同相轴或等灰线、等色线即可形象地表示地下反射界面。

现场测量,通常采用剖面法(CDP)或者宽角法(WARR)两种方法。前者发射天线和接收天线以固定间距沿测线同步移动,后者是固定一个天线、移动另一个天线或者是两个天线同时由一中心点向两侧反方向移动,这两种方式的记录点均为两个天线的中心点。

堤防勘察采用剖面法。视工作条件选用 50MHz 或 250MHz 天线,纵测线记录点距0.5m,横测线记录点距0.2m。测试仪器为 RAMAC/GPR 探地雷达系统。

2. 特征参数

1)电磁波脉冲旅行时间 t

电磁波脉冲旅行时间 t 为:

$$t = (4z^2 + x^2)^{1/2}/v \tag{1}$$

当地下介质的电磁波速度 v(m/ns)已知时(v 可现场测定或按式(2)估算),可根据实测电磁波反射历时 t(ns),由式(1)求出反射体的深度 z(m),式中 x(m)为常量(收、发天线间距)。

2)电磁波传播速度 v

电磁波传播速度 v 为:

$$v = c/(\varepsilon_r \mu_r)^{1/2} \tag{2}$$

式中　c——电磁波在真空中的传播速度(0.3m/ns);

　　　ε_r——介质的相对介电常数;

　　　μ_r——介质的相对磁导率($\mu_r \approx 1$)。

3)电磁波反射系数 r

电磁波在介质中传播时,当遇到两侧相对介电常数明显变化的界面时,电磁波将产生反射现象和透射现象,其反射能量和透射能量的分配主要与异常变化的电磁波反射系数有关。电磁波反射系数 r 为:

$$r = \frac{\sqrt{\varepsilon_{r_2}\mu_{r_2}} - \sqrt{\varepsilon_{r_1}\mu_{r_1}}}{\sqrt{\varepsilon_{r_2}\mu_{r_2}} + \sqrt{\varepsilon_{r_1}\mu_{r_1}}} \approx \frac{\sqrt{\varepsilon_{r_2}} - \sqrt{\varepsilon_{r_1}}}{\sqrt{\varepsilon_{r_2}} + \sqrt{\varepsilon_{r_1}}} \tag{3}$$

式中 ε_{r_1}——第一层介质的相对介电常数;

      ε_{r_2}——第二层介质的相对介电常数。

表 3-2-1 给出了几种常见介质与雷达探测有关的电磁波参数。

表 3-2-1   **几种常见介质电磁波参数**

序号	介质	ε_r	$v(\text{m/ns})$
1	空气	1	0.3
2	淡水	80	0.033
3	海水	80	0.01
4	干砂	3~5	0.15
5	饱和砂	20~30	0.06
6	页岩	7	0.09
7	黏土	5~40	0.06
8	泥岩	5~15	0.09
9	石灰岩	4~8	0.12
10	花岗岩	4~6	0.13
11	岩盐	5~6	0.13
12	混凝土	6.4	0.12
13	沥青	3~5	0.08~0.12
14	冰	3~4	0.16

4)探测的分辨率问题

探测的分辨率问题是指对多个目的体区分或小目的体的判识程度。简而言之,这个问题与脉冲频带的设计有关,即频带越宽时域脉冲越窄,则在纵向上的分辨率就越高;反之分辨率就越低。而水平方向的分辨能力主要决定于介质的吸收特性,介质的吸收越强,目的体中心部位与边缘部位的反射能量相对差别也越大,水平方向的分辨能力相对也就较强;反之,分辨能力则弱。

5)探地雷达的探测深度

众所周知,大地相当于一个低通滤波器。因此,探地雷达探测深度主要由天线的中心频率和介质的吸收特性所决定。资料表明,中心频率为 25~50MHz 时,探测深度一般在 20~25m;中心频率为 100~400MHz 时,探测深度一般在 3~10m;中心频率 1 000MHz 时,探测深度小于 1m。实际工作中应根据勘察目的选取相应的中心频率。

3. 方法措施

采用剖面法,视工作条件选用 50MHz 或 250 MHz 天线,纵测线记录点距 0.5m,横测线记录点距 0.2m。工作参数设置见表 3-3-2。

表 3-2-2　　　　　　　　　　探地雷达工作参数设置

工作类别	天线主频(MHz)	天线间隔(m)	采样频率(MHz)	记录点距(m)	记录时窗(ns)
堤防隐患探测	50	2.0	1 092	0.5	468
	250	0.4	2 582	0.2 ~ 0.5	198
护坡、闸基隐患探测	250	0.4	3 220 ~ 4 735	0.1 ~ 0.2	110 ~ 160

4. 资料整理与解释

对野外实测的探地雷达图像,进行直流调整、增益、平衡及点、道平均,时深转换等处理后,即可获得清晰的探地雷达剖面图。

通过分析电磁波的时频、振幅特征,就可判识地质体的展布形态和性质,从而达到工程地质勘察之目的。

一般而言,对于岩土介质,当含水量高时,其电阻率、波速变小,相对介电常数变大,则波的吸收衰减剧烈。所以,在低电阻率、低波速、高介电常数的高吸收介质中(如泥质或富含水的土壤),雷达图像以窄、细形同轴出现,且由浅到深信号衰减较快;反之,雷达图像呈较宽粗的同相轴。此外,电磁波在介质中传播,当遇到空隙时,波长将加大,因而在空隙界面处将产生波宽宽、强度高的强反射,并且在充水或气的空洞中易产生多次反射,松散介质中雷达波形杂乱,此即为识别堤防隐患的依据。闸基混凝土若有断裂、蜂窝狗洞、疏松以及与基础脱空等不良现象,雷达波形将产生错短、杂乱等异常形态。概而言之为:①界面两侧介质的介电常数差异越大,则反射能量越强;反之,反射能量越弱。②介质的电阻率低、介电常数大,电磁波衰减剧烈,则反射波以窄、细同相轴出现;反之,电磁波反射强烈,则反射波以宽、粗同相轴出现。③介质松散或反射界面不连续时,易形成散射,则反射波杂乱,无明显连续的同相轴;反之,反射波同相轴连续、稳定。

结合地质勘察成果,具体分析探测深度范围内的探地雷达图像,一般具有下述规律:

(1)密实人工素填土、黏土、壤土的反射波频率高、振幅相对较小,雷达图像的同相轴窄而细,连续性好;松散的人工素填土、黏土、壤土的反射波易散射,反射波的频率相对较低、振幅相对较大,雷达图像的同相轴连续性差。

(2)土体沉陷的反射波频率、振幅变化不大,但雷达图像的同相轴错动。

(3)不均质异常体(洞穴状松散体、塌陷体、透镜体等)的反射波频率变低、振幅变大,雷达图像呈双曲线形态。

(二)高密度电阻率法

1. 基本原理

其原理仍然属于电阻率法的范畴,但与常规的电阻率法相比设置了较高的测点密度,一次可以完成纵横二维的勘探过程,所以观测的精度高、信息丰富。因此,高密度电阻率法的实质是一种组合式的剖面装置,即首先选取基本点距 a,然后分别改变 AM、AN 之间的相互位置,再进行剖面测量。一般情况下选取 $AM = MN = NB = na(n = 1,2,3\cdots)$,无论 n 等于几,但对于一次剖面测量时点距为 a,把每组的视电阻率 ρ_s 值表示在该装置 MN 的中点与 A 电源位置下 $\theta = \arctan2/3$ 斜线的交点上,在此基础上勾绘等值线和各种数据处理。因此,对于每一个固定的 n 值而言就是一个剖面,而各重复观测的记录又相当于一个测深点,所以高密度电阻率法是剖面法和电测深法的组合。

高密度电阻率法测试仪器为 WDJD - 1 型多功能电测仪和 WGMD - 1 型多功能电测仪及其附属设备;选用温纳尔装置,基本点距为 1 ~ 3m,电极隔离系数为 9 ~ 16。

2. 资料整理

由野外采集的数据经编辑、调整后,进一步对曲线或绘图单元进行圆滑等处理,以达到消除干扰、突出异常、提高解释精度的目的。实测数据处理后可获得高密度电阻率法视电阻率断面灰度图(或等值线图)。通过对比分析,掌握堤身、堤基介质的视电阻率变化特征及不同电阻率介质层(体)的分布形态,进而判识堤身内部是否有洞穴或其他不良结构体的存在。当堤身土体质量均匀无空洞、裂缝、土体不均一等异常隐患存在时,视电阻率等值线有规律地均匀分布,近水平层状;当堤身或堤基内有上述类型隐患存在时,则视电阻率等值线将发生变化,表现为成层性差、梯度变化大,出现高阻或低阻闭合圈等异常形态。测区视电阻率断面图一般具有以下几种类型。

1)递增型

地下水位以上堤身土体视电阻率值由浅至深逐渐增大,主要反映的是正常堤身的岩性变化规律。

2)递减型

土体视电阻率值由浅至深逐渐减小,主要反映的是决口口门松散土体或堤身表层松散的分布规律。

3)局部高阻型

断面图上视电阻率值在局部呈团状高阻分布,是局部不均质体的异常反映。

(三)地震折射波法

1. 基本原理

地震折射波运动学是研究当入射波以临界角投射到地下折射界面(满足条件 $v_n < v_{n-1}$,v_n、v_{n-1} 分别是上下界面的速度)产生首波时,折射波的时距关系。通过分析时距曲线,可以求解折射界面的埋深和其上下介质层的波速。

采用完整对比观测系统。纵测线:道间距 4 ~ 5m,偏移距 5m,追逐偏移距 15m;横测线:道间距 2m,偏移距 2m。

测试仪器为美国乔美利特公司生产的 Strata View™ - R$_{24}$ 数字化工程地震仪,38Hz 检波器。采用锤击震源。

2. 资料解释

由野外采集到的地震折射波曲线记录,首先进行初至折射波对比,然后用初至自动拾取程序拾取每道的初至时间,并进行调整。应用地震仪内装 SIPQC 处理软件包,把一条测线多个炮点记录拾取的初至数据文件按炮点顺序进行编辑,形成综合时距曲线,通过人工对比时距曲线进行层位划分,即可按照延迟时间法进行解释,求出各速度层的波速及埋深,并经正演计算(即波路计算)来调整解释厚度,以正演与实测时间之差同实测时间之比小于10%为最终解释结果。

(四)瑞雷波法

其原理是在地面上产生一瞬时冲击力,以此产生一定频率范围的瑞雷波,不同频率的瑞雷波叠加在一起,以脉冲的形式向前传播,由距震源一定距离的多道检波器接收,经信号采集,仪器记录,利用处理软件(FKSWSA、Swsview),对所记录的瑞雷波信号,在时间域开窗提取和 $f-k$ 域进行瑞雷波提取,把各个频率的瑞雷波分离开来,从而获得瑞雷波速度(或换算成剪切波速度 v_s)随深度的变化曲线,即瑞雷波频散曲线。频散曲线的变化规律与地下地质条件存在着内在联系,通过对频散曲线进行解释,可获得地下某一深度范围内的地质构造情况和不同深度的瑞雷波速度值,而瑞雷波速度值的大小与介质的物理特性有关,据此可对岩土的物理性质做出评价。

采用单边激发,经试验选择偏移距1m,道间距1m,12道接收。检波器4Hz,震源采用大锤。使用仪器为 SWS-2 面波仪或 Strata View™-R₂₄数字化工程地震仪。

(五)声波测试

1. 基本原理

基于介质的声学性质与其结构及物理性质有关,岩土体因岩性、结构特征、力学性能等因素形成不同的声学特征,通过测试声学信息并加以处理解释,可判断介质的物理力学特性。

土样声波测试:①按地质特征分组进行采样、加工、编号、记录式样尺寸;②将换能器辐射面对接,中间加耦合剂,测取换能器和仪器系统的延时;③将换能器耦合于被测式样的两端(中心线对齐)测取声波时差并计算土样的声波纵波速度。闸室基础混凝土质量测试采用声波平测法、声波测井法,测试仪器为 SD-1 型声波仪及 50kHz 平面换能器和一发双收声波换能器。

2. 资料解释

介质的纵波速度主要与岩性、密度、含水量有关。一般同一岩性的土体含水量越高,则纵波速度就越大;纵波速度随天然密度的变大有增高的趋势。不同岩性具有相同含水量时,黏性土的波速高于砂性土,说明在地下水位以上,可根据土体纵波速度的变化规律,准定量地评价介质的密实程度及性质。

三、成果验证和质量评价

物探成果表明探地雷达、高密度电阻率法、地震勘探所划分的异常基本吻合,比较土工试验成果可知,物探划分为相对松散段的堤身土密度一般偏小。

如在漳河大韩道险工段,探地雷达探测结果,较准确地圈定了决口口门的位置及分布形态,但其土体的性状不宜判别;高密度电阻率法测试结果表明,决口口门位置的土体视电阻率值较高($\rho_{s1}=160\sim420\Omega\cdot m$),而其下部土体视电阻率值较低($\rho_{s2}=80\sim160\Omega\cdot m$),说明决口口门处土质松散;同时,地震折射波法测试出口门位置土体的纵波速度较低($v_{P1}=260m/s$),也说明决口口门处土质松散。综合分析探地雷达、高密度电阻率法、地震折射波法的探测结果可知:大韩道决口口门处土质松散。

再如漳卫新河钻孔 ZK457、ZK456 验证结果表明,物探(探地雷达与高密度电阻率法)划分的不均质体为砂壤土中的纯黏土夹层;在闸护坡探测验证钻孔中,也揭示了护坡混凝土存在脱空现象,由此说明综合物探成果具有较高的可信度。

四、几点思考

目前,应用工程地球物理方法来定性或准定量地评价堤防工程质量已取得很大的进展,从而促使堤防工程勘察工作不再停留在钻探、坑槽探、锥探等以点代面的经验性判断阶段。通过对堤防工程的地球物理探测,可以获取其原始状态下的大量物性信息,再配合一定的钻探、土工试验和土样声波测试,就能全面地取得堤防土体的物理力学性质和质量指标,进而对堤防质量实施评价,为设计、施工提供必要的基础资料。

然而,欲充分发挥地球物理方法在堤防工程勘察中的功效,以下几个问题应引起注意。

(一)定准、扩展堤防隐患的"靶区"

国内采用地球物理方法开展堤防隐患探测的研究始于 20 世纪 80 年代初,通过大量的试验,初步论证了高密度电阻率法在评价堤防裂缝、洞穴方面的有效性。为此,探测堤防隐患的目标也多集中在裂缝、洞穴方面,但其探测速度、成果价值均难以满足堤防勘察工作的要求。

事实上,堤防松散区、软弱夹层、不均匀沉陷带(多为各类隐患的载体)等不利地质单元构成的威胁与裂缝、洞穴可等量齐观,甚至影响更甚。如 1998 年长江九江城堤防溃口的主要原因是溃口段堤基表层存在 0.7~1.0m 厚的薄弱环节——粉质壤土,其黏粒含量低(11%~15%),粉粒含量高(62%~75%),其余为极细砂粒,这种粒径组成的土,渗透系数虽不大,但抗渗透破坏的性能较差;堤基大部分土层为粉质黏土,粉粒含量较高(58%~68%),而黏粒含量也较高(21%~26%),这种粒径组成的土,渗透系数较小,抗渗透变形的性能较好;堤身土层为粉质黏土,黏粒含量高(36%~47%),渗透系数虽然中等偏大,但不易产生管涌。所以,堤身、堤基相比较堤基表层的粉质壤土是薄弱环节。

海河流域平原区堤防所存在的主要问题有:

一是由于碾压功能不够或每次填土厚度太大,土体呈团块状或具大孔隙的松散状,原状样于室内不能制备或勉强制成的样品浸水后产生明显的沉陷等。

二是填筑时没有什么碾压,以期靠土体自沉而达到对堤身土体要求的密实程度;或者填筑土体含水量太高,上堤土没有严格的含水量控制,当堤身土体长期处于干燥状态时,由于失水形成密集的收缩裂纹或裂缝,堤身土体似杂乱堆积的不规则的黏土块;或者筑堤土为黏土与粉细砂或砂壤土互层(均为薄层),上堤后未能有效的拌和,堤身土体黏土与粉细砂或砂壤土呈鸡窝状分布等,堤身土体质量较差。

综上所述,仅将裂缝、洞穴视为堤防隐患是不全面的。基于上述认识,应扩展用物探方法探测堤防隐患的"靶区",从而提高物探成果的应用价值。根据海河流域平原区部分堤防的工程实践,可将堤防隐患粗略划分为四种类型:Ⅰ类,不均质体、透镜体、夹层、洞穴;Ⅱ类,松散、相对松散、软弱层、土质不均;Ⅲ类,坍陷、凹陷、沉陷;Ⅳ类,裂缝。

(二)理解地球物理方法探测堤防隐患精度的内涵

有资料报道,利用物探方法,可以探测 2mm 宽的裂缝,可以解决洞径与埋深之比为

1:10的洞穴问题。我们认为有很理想勘探前提，在方法选择、技术措施、资料解析正确的条件下，这一精度是可以保证的；但对这样高的探测精度的勘探前提有必要进行详细的分析，以企理解该精度的内涵。

借鉴洞室岩体松动理论可知：堤防洞穴、裂缝在形成过程中容易导致洞穴、裂缝面的松动，洞穴、裂缝形成后应力又将重新分布，并在洞穴、裂缝围岩表层产生应力下降带或应力集中带；洞穴、裂缝围岩一般存在3个区带，即应力下降带、应力上升带和原岩应力带，这3个区带具有明显的或渐变的物性差异。故而所谓的探测精度并非所观察或量测到的几何尺寸，而是多含有"晕"，即洞穴、裂缝多以土质松散、软弱层、沉陷等为载体；又鉴于对隐患的加固处理不仅仅是对洞穴、裂缝，还要对其影响带即一定范围内的围岩进行加固处理。因此，力求探测精度精确又精确，反而模糊；而适当的模糊，反而清晰。这可能更符合堤防工程设计、施工的技术要求，亦与前述定准隐患"靶区"的思想是一致的。

(三)明确堤防质量探测的技术路线

目前，提到堤防质量探测，大家在很大程度上比较多地议论什么方法有效，甚至未能探测到洞穴、裂缝就认为这个方法在堤防勘察中是无效的。在实际工作中也往往是一个工程项目仅利用一种物探方法，实际上这是不符合实际情况的，无疑限制和阻碍了物探的利用价值。事实上，片面地强调某一方法的有效性，而忽视其他方法，即便是作为从属地位的作用，也很难提出符合实际的、高质量的堤防质量勘察报告，堤防质量勘察必须提出一条明确的技术路线。基于堤防隐患类型复杂，仅依靠物探方法也是不全面的，还必须采用以地质为龙头的综合勘察手段，即通过地面地质调查、钻探、土工试验、综合物探，进而充分将点、面资料结合分析，以企查明堤身、堤基土体的物理特征，为堤防加固设计、施工提供必要的基础资料。就海河流域的堤防而言，按照勘察任务的要求，利用物探方法探测堤防质量主要是对堤身(包括迎水坡护砌质量)、堤基以及拦(泄)洪闸闸基混凝土质量进行评价。具体任务是：①探测存在于堤身、堤基的裂缝、洞穴、决口口门以及松散、软弱堤段等不良地质现象的空间分布情况；②评价堤身土体质量、密实度；③探测堤身护坡、闸室护坡护砌结构和护砌质量；④探测闸室底板混凝土质量及其与基础的结合状况。探测深度要求一般为堤顶以下15m。

针对上述任务，经试验采用综合物探探测堤防质量的技术路线是：①用探地雷达普查堤身、堤基，发现异常用高密度电阻率法或地震波法佐证；②采用探地雷达法和声波测试法评价堤身护坡浆砌石质量、闸基混凝土质量；③用地震折射波法或瑞雷波法以及土样声波测试成果与土工试验成果的对比分析评价堤身土体质量。实践证明上述技术路线符合海河流域堤防勘察的要求，从而达到了定性、准定量评价堤防质量和隐患性质的目的。

(四)深化物探资料的综合分析

综合物探绝不是几种方法的简单罗列，如何充分体现综合物探的功效，应深化物探资料的分析和地质解析，尤其是资料的综合分析是提高物探成果应用价值的关键。如根据探地雷达图像的动力学特征即以探地雷达图像同相轴的可连续追踪性、振幅强弱的可比性、同相轴的起伏、错断以及是否有散射造成的图像杂乱无序现象等，可对堤身土体予以定性的异常划分并推断其地质成因；依据高密度电阻率法断面(灰度)图，划分堤身、堤基介质的视电阻率值及不同视电阻率介质层的分布变化形态，进而判识是否有洞穴或裂缝等隐患存在。当堤身质量均匀无裂缝、洞穴、土质不均一等异常隐患存在时,视电阻率等值线分布均匀,近水平状;当有上述类型隐患存在时,则等值线有闭合圈,成层性差、梯度变化大。地震波法则通过拾取堤身土体的弹性波运动学特征,可对堤身质量予以准定量评价。由此可知,不同物探方法的互相补充、验证可提高成果的解释精度。如:利用地震折射波法求出地下水位或其影响带深度,根据视电阻率的高值异常和探地雷达图像的低振幅、低频、图像杂乱、同相轴可追踪性差等特征,辅以低波速,即可较准确地判断出水位以上的土体松散或土质不均等;同样对于低速、高阻异常,当探地雷达图像同相轴呈现错动时,则可定隐患类型为裂缝;结合雷达图像同相轴的起伏和视电阻率团块状异常即可判断存在不均质体类或沉陷类隐患等;用地震折射波法或瑞雷波法以及土样声波测试成果与土工试验成果的对比分析评价堤身土体的密实程度等。

　　总之,对堤防质量的评价,都不宜少于两种以上的物探方法互相验证并力求和钻探、土工试验成果对比分析。

第三章　堤防工程质量分类

堤防工程质量关系着堤防工程的安全运行,对于保障人民生命财产安全、兴利除害和可持续发展具有重要意义。海河流域八大水系控制流域面积 $31.8 \times 10^4 km^2$,区内有北京、天津、石家庄、保定等大、中型城市分布,经济发达,人口稠密。对流域内堤防工程质量进行全面调查,了解堤防工程质量状况和存在的主要问题,从而为防洪规划和堤防工程加固提供科学决策的依据。

数十年来,海河流域平原区已建、复建、加固改造或新建堤防工程的勘测、设计、施工以及竣工验收评价的资料信息缺乏系统完善,使其可利用程度大大降低。为满足流域防洪规划和堤防工程建设(复建、改造、加固等)宏观分析、科学决策的需要,应着手开展堤防工程 GIS 系统基础工作的建设,即建立海河流域平原区堤防工程质量分类数据库。

堤防工程相对于水库工程而言是一种线性工程,就堤型而言,实际上是延长了的当地材料坝,洪水期的运行状态也基本相同,只是承受的水头一般较小;但就勘测设计技术而言,两者可能遇到的问题却基本相同。而从目前堤防工程勘测设计工作的实际精度看,前者远远低于水库大坝的标准。施工技术和施工质量也不能与水库大坝相提并论,并且质量问题往往不能引起足够的重视,技术标准也不易得到严格执行。因此,从勘测、设计到施工一系列技术标准的严格贯彻执行,实际上成为影响堤防工程质量的重要因素之一,必须建立适合平原区实际的工程质量标准体系。基于现实以及未来减灾防灾和可持续发展的需要,有必要解决上述问题。

第一节　堤防工程质量分类体系的构成

一、堤防工程基本数据系统

(一)堤防工程等级及填筑标准

根据《堤防工程设计规范》(GB50286—98)规定,平原区堤防工程等级及其填筑标准为:一级,(黏性土)压实度 ≥ 0.94,(砂性土)相对密度 ≥ 0.65;二级及高度大于 6m 的三级堤防,(黏性土)压实度 ≥ 0.92,(砂性土)相对密度 ≥ 0.65;高度小于 6m 的三级堤防,(黏性土)压实度 ≥ 0.90,(砂性土)相对密度 ≥ 0.60。

(二)堤防工程设计

堤防工程类型:①均质堤包括新筑堤和老堤加高培厚设计(分黏性土堤和少黏性土堤);②非均质堤防渗体和非防渗体部分等。

土料质量指标:①土质类型;②颗分指标;③击实试验指标,如(黏性土)最大干密度、最优含水量指标,(砂性土)相对密度指标以及相应的孔隙比、孔隙率指标等设计压实度指标;④稳定、变形计算所需指标等。

(三)堤防工程施工质量控制

施工质量控制主要通过控制堤身填筑土料质量、填筑压实质量等来达到控制堤身施工质量的目的。对于黏性土,控制指标主要为土料的黏粒含量、最大干密度和最优含水率、有机质含量和易溶盐含量等;对于砂性土,控制指标主要为相对密度。

二、堤防工程现状质量数据系统

(一)堤防工程结构组成分类

堤防工程结构组成指构成堤防工程的堤身、前戗、后戗、护坡、防浪墙等部分。堤身是堤防工程的主体,而其他部分与设计及施工等因素有关或可缺失。

(二)堤防工程现状质量特征指标

堤防工程现状质量特征指标包括现状地形地貌、堤基工程地质、堤身质量及堤防隐患等。

堤防现状地形地貌主要考虑可能存在的对堤防稳定不利的微地貌,如临空面、古河道等。

堤基工程地质主要考虑地基土体物质组成、成土和成层性及压缩性差异、震动液化和可能导致渗透破坏等影响堤防稳定性的因素。

堤身质量主要考虑堤身土的土质、均一性、填筑质量等特征指标。

堤防隐患往往是比较隐蔽的,对其定性描述也是堤防工程现状质量数据必不可少的一部分。

(三)工程加固处理措施

已建堤防工程所采用的加固措施包括迎水面砌石护坡、浆砌石护岸、堤脚防冲、堤顶防浪墙及堤身灌浆等,这些工程措施可能使堤防工程质量发生根本变化。

(四)其他影响因素

作为非常组合状态下的安全影响因素之一,一些情况只是在小概率下发生,因此不应作为评价工程质量的主要因素,如行洪时遇有地震等。

第二节 堤防工程质量分类

一、基本依据

堤防工程从勘测、设计、施工、竣工后工程质量评价的一系列现行的有效规程规范,是堤防工程质量分类的基本依据,参考碾压土石坝设计规范和有关的土坝手册等资料,试图建立一套合理的已建堤防工程质量分类系统。

堤防工程质量控制标准有《堤防工程地质勘察规程》SL/T188—96、《堤防工程设计规范》GB50286—98、《堤防工程施工规范》SL260—98、《堤防工程施工质量评定与验收规程》SL239—1999、《水利水电工程天然建筑材料勘察规程》SL251—2000等，参考标准有《碾压式土石坝设计规范》SL274—2001、《最新土石坝工程学》日本电力土木技术协会、《土石坝》潘家铮、《水工设计手册(土石坝)》河海大学编等。

二、质量分类

(一)影响质量的主要因素

1. 堤基工程地质

不良堤基如淤泥或淤泥质土、砂土、盐渍土及未经夯实的杂填土等，这些堤基往往会引发堤防工程沉陷、岸坡塌滑、渗透变形、地震液化等工程问题。因此，在堤防工程质量分类中，应首先分析研究堤基土体的工程地质特性，判断其可能存在的工程地质问题及其对堤防工程稳定性的影响。

2. 筑堤土料质量

筑堤土料的工程特性直接影响堤防工程填筑施工的难易和堤防工程的质量，亦是导致堤防工程质量隐患的重要原因。如采用淤泥质土或黏土筑堤时，含水量不易控制，不易压实，堤身土体易出现干裂、沉陷，堤身土体松散，饱水易产生沉陷或流土、塌岸等破坏。若局部土质不均一或用粉细砂填筑，则可能出现塌岸散浸等问题甚至引发渗透变形破坏。因此，确保筑堤土料质量，是保证堤防工程质量的重要前提。

3. 堤防工程填筑质量

堤防工程填筑质量是控制堤防工程质量的关键，在堤防工程设计规范、施工、质量评定与验收规程中都有明确的要求。堤基工程地质条件、土料质量、工程体的填筑质量是影响堤防工程质量的三个重要因素。堤防工程体的填筑质量，主要由筑堤土的压实度(黏性土)指标和相对密度(无黏性土)指标是否满足规程规范的要求来评定，此外，堤防工程外观质量和所处环境的微地貌(或人工地貌)亦是评定标准之一。

4. 人类活动的影响

由于人们的生活、生产活动，堤下埋管、跨堤修简易路、堆放秸秆招致小动物在堤内生息，造成穿堤洞穴，随意开采土料造成堤内外微地貌变化、面流冲刷等，严重影响着堤防工程的质量。

(二)质量分类层次

综合考虑上述质量因素，并结合具体工程结构及组成按不同层次进行统计整理，逐步建立质量分类评价体系及数据库。

堤防工程质量分类应包含堤基工程地质分类(地质体)、堤身工程质量分类(工程体)、堤防隐患分类三个主要方面。在此基础上，分析堤防工程的综合质量。其分类层次及因素划分、工作程序框图见图3-3-1、图3-3-2。

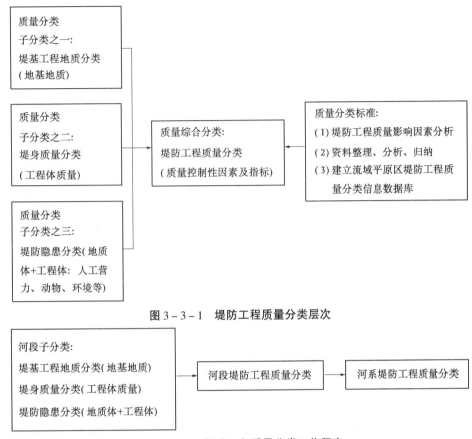

图 3-3-1 堤防工程质量分类层次

图 3-3-2 堤防工程质量分类工作程序

综合影响堤防工程质量的诸因素,对一、二级堤防工程质量分类如表 3-3-1。其中:

(1)标准仅对一、二级堤防按 3 类进行工程质量分类。I_1、II_1 类堤防工程现有断面能满足岸坡稳定、渗透变形、沉降变形和抗滑稳定的技术要求,不需加固或防渗处理。I_2、II_2 类堤防工程则局部堤段需做加固或防渗处理;如果不合格的试验点,空间分布比较分散或合格的试验点所占百分数接近合格率的堤段,亦可不做处理。I_3、II_3 类堤防工程则需要进行加固或防渗处理。

(2)鉴于堤防工程为线型已建挡水建筑物,沿堤身土体颗粒组成复杂,故堤身质量分类以相应土的压实度和砂砾石的相对密度为控制性指标;堤身土体的抗剪强度、压缩性、渗透性、堤内外微地貌和物探指标等作为分类的参考标准。

(3)堤身土体质量以 85% 的试样压实度和相对密度满足相应等级堤防工程要求的压实度和相对密度,15% 试样的压实度或相对密度可降低一级要求,但不能有集中或连续分布的现象。

(4)粉细砂不能作为筑堤材料,所以按正常设计断面为粉细砂的堤段,均划归为 3 类堤。

(5)堤基亦按 3 类划分,依据堤基土体颗粒组成、土层结构、土体物理力学性状等划分类别;对于砂和粉细砂层,且在堤内、外临空,均划为 3 类堤基;近海地带的淤泥、淤泥质软土等压缩性高、沉降量大、土体强度低,亦划归为 3 类堤基。

表 3-3-1 海河平原已建堤防工程质量分类建议标准表

堤防级别	堤防分级	堤基物质组成	上堤土料	填筑质量		堤身土物探参数		备注
				设计标准	控制标准	地震波速度（m/s）	试件声波速度（m/s）	
				黏性土压实度/无黏性土相对密度	85%试样黏性土压实度/无黏性土相对密度			
一级堤防	I₁类	黏性土粉土	黏性土粉土	≥0.94	≥0.94	320～360	500～700	（1）不良堤基指淤泥或淤泥质土、砂土、盐渍土以及未经夯实的人工填土等
	I₂类	黏性土粉土	黏性土粉土	≥0.94	≥0.92	280～320	400～500	
			无黏性土	(8°)≥0.75	(8°)≥0.75	—	—	
				(7°)≥0.70	(7°)≥0.70	—	—	
				(6°)≥0.65	(6°)≥0.65	—	—	
		不良堤基	黏性土粉土	≥0.94	≥0.94	320～360	300～400	
	I₃类	黏性土粉土	黏性土粉土	≥0.94	＜0.92	240～280	300～400	（2）有可能发生地震液化、渗透变形、沉降变形、散浸或塌岸等破坏的堤段，均属有工程隐患
			无黏性土	(8°)≥0.75	(8°)＜0.75	—	—	
				(7°)≥0.70	(7°)＜0.70	—	—	
				(6°)≥0.65	(6°)＜0.65	—	—	
		不良堤基	黏性土粉土	≥0.94	＜0.92	280～320	400～500	（3）表中物探参数系指地下水位以上数值
			无黏性土	(8°)≥0.75	(8°)＜0.75	—	—	
				(7°)≥0.70	(7°)＜0.70	—	—	
				(6°)≥0.65	(6°)＜0.65	—	—	
二级堤防	II₁类	黏性土粉土	黏性土粉土	≥0.92	≥0.92	280～320	400～500	
	II₂类	黏性土粉土	黏性土粉土	≥0.92	≥0.90	240～280	300～400	
			无黏性土	(8°)≥0.75	(8°)≥0.75	—	—	
				(7°)≥0.70	(7°)≥0.70	—	—	
				(6°)≥0.65	(6°)≥0.65	—	—	
		不良堤基	黏性土粉土	≥0.92	≥0.90	280～320	400～500	
	II₃类	黏性土粉土	黏性土粉土	≥0.92	≥0.90	200～240	250～300	
			无黏性土	(8°)≥0.75	(8°)＜0.75	—	—	
				(7°)≥0.70	(7°)＜0.70	—	—	
				(6°)≥0.65	(6°)＜0.65	—	—	
		不良堤基	黏性土粉土	≥0.92	≥0.90	240～280	300～400	
			无黏性土	(8°)≥0.75	(8°)＜0.75	—	—	
				(7°)≥0.70	(7°)＜0.70	—	—	
				(6°)≥0.65	(6°)＜0.65	—	—	

注：括号内数字为地震基本烈度。

第四章　堤防加固的地质工程措施

堤防工程主要隐患常见的有裂缝、疏松、抗渗和抗震性能差等问题,常实施的地质工程措施有灌浆、深层搅拌防渗墙等,现就这几种常用的施工方法的技术要求简述于后,供设计和施工参考。

第一节　灌　　浆

一、浆液设计

堤防工程发育黏土干缩裂缝、不均匀沉降裂缝、不同时期填筑堤身体间裂缝等,在查明裂缝发育规律后,采用灌浆加固处理。灌浆可采用劈裂灌浆液的技术要求,必须满足下列几个方面。

(1)土料的颗粒组成:黏粒含量 40% ~ 60%,砂粒含量 10% ~ 20%;含有机质和可溶盐较多的土料不易采用岩浆。

(2)泥浆浓度。即泥浆的水土比:

$$\lambda = \frac{W_s}{W_w}$$

式中　W_s——泥浆中的干土质量,g;

　　　W_w——泥浆中水的质量,g;

　　　λ——泥浆中的含土量,%。

灌浆中一般常用的水土比为 1:0.5 ~ 1:1.45。

(3)泥浆黏度。即泥浆流动时的阻力,是泥浆内部阻碍其相对流动的一种特性。

泥浆黏度大,其流动性不好;反之,则流动性好。在堤身土体灌浆尽量要求浓度高一些,流动性要好一些。黏度低的泥浆液静切力小,泥浆泵省力,管路中输浆畅快,能提高灌浆的效果。泥浆的黏度一般控制在 20 ~ 100s 间为宜,其值的选用一般考虑裂缝的宽度、渗透率的大小、选用压力等因素。

(4)泥浆的稳定性。泥浆的稳定性,是衡量泥浆中土颗粒沉降速度的指标。沉降速度慢,表示泥浆的稳定性好;反之,表示泥浆的稳定性差。

泥浆的稳定性取决于泥浆的浓度(水土比)和岩浆土料的颗粒大小、矿物成分、分散程度等因素。

泥浆的稳定性,是以泥浆静置 24h 后,泥浆上半部和下半部的密度差值来表示:

$$C = \gamma_2 - \gamma_1$$

式中　C——泥浆稳定性,g/cm³;

　　　γ_2——下半部泥浆的密度,g/cm³;

γ_1——上半部泥浆的密度,g/cm³。

泥浆的稳定性一般在 $0.05 \sim 0.1$ g/cm³ 间是适宜的。

(5)泥浆的含砂量。泥浆中含砂量的多少,以泥浆与水按 1:9 的比例稀释后,测定砂占泥浆体积的百分数来表示。

(6)泥浆的失水量。在一定压力下泥浆析出的水量,与浆土料的性质、泥浆的密度、灌浆压力、堤身土体性质、外加剂等有关。泥浆失水量大小,直接影响灌浆的效果和质量,所以应及时测定泥浆失水量。失水量测定方法很多,可采用较简便的真空抽气法测定。

(7)泥浆具有一定的剪切强度,使其流动,要加外力,单位面积所克服的阻力称为静切力。泥浆静切力的大小,与制浆黏土性质、黏土分散程度,泥浆密度、结构及外加剂性质等因素有关。在灌浆中,根据泥浆静切力的大小,选择泥浆泵的大小、输浆管强度、辅设管路长短、灌浆的疏密、泥浆密度等重要参数。泥浆静切力可用泥浆静切力仪测定。

(8)泥浆胶体率。泥浆静止时,将水分析出到泥浆表面上来的能力称为泥浆胶体率,它是衡量泥浆质量优劣的重要指标。一般而言,质量好的泥浆不易析出水来,而劣质泥浆静止时则有较多水析出来。泥浆胶体率用下式表示:

$$D = \left(1 - \frac{V_w}{V_v}\right) \times 100\%$$

式中 D——泥浆胶体率,%;

V_w——析出水的体积,ml;

V_v——原泥浆体积,ml。

一般而言,$D > 90\%$ 时泥浆质量较好。

二、灌浆孔布置及灌浆压力

(一)灌浆孔布置

堤身工程结构与均质土坝相似,堤身多为粉质黏土、壤土等,出现的裂缝一般既多又宽,或局部架空等。这类隐患的存在,将会导致堤身土体遇水沉陷、流土(泥流)严重渗漏、渗透变形破坏等。因此,灌浆孔采用多排梅花形布置较好,即在轴线布置 $1 \sim 2$ 排主灌浆孔,两侧为副灌浆孔,孔距可以密一些,孔深浅一些。在轴线附近形成充填裂缝的主浆脉,其他裂缝和架空空隙也会被泥浆充填,增加堤身土体干密度和整体强度,改善堤身应力条件,促使堤身土体发生较均匀的湿化变形。

局部堤段,如施工接头部位、堤下埋管等出现的渗漏、塌坑等,宜采用梅花形布孔灌浆,排距 $0.5 \sim 1.0$ m,孔距 5m 左右为宜。

对于延伸较长,较宽裂缝,可沿裂缝布一排灌浆孔。灌浆时,泥浆沿裂隙运动,施加一定的灌浆压力,使裂缝扩大,便于泥浆充填。

如果堤身土体密实度较好,冲蚀性能满足要求,或已经砌护,断面小,不能满足渗透稳定的要求。那么,可沿堤轴线布置单排灌浆孔,孔距一般 10m,或先疏后密,或根据灌浆的具体情况而定。这种灌浆孔布置形式适于采取较大的灌浆压力,对堤身土体做较大的劈缝,形成一道较完整的防渗帷体。

(二)灌浆压力

灌浆压力的大小,与裂缝扩张的大小、泥浆流程的远近、浆与堤互压的效果等有关。从已有实践经验看,灌浆压力大一些、灌浆质量好一些、施工期短,因而亦较经济。同时,实践证明,采用较大灌浆压力,对堤的稳定不会产生不良影响。

目前,灌浆压力设计一般分为起始劈裂压力、单孔最大压力和屈服压力等三级压力控制。

1. 起始劈裂压力

劈裂灌浆的工艺要求在孔底注浆、全孔灌注。由于底部浆压大于上部,故孔底的裂缝先被劈裂,后向上扩展。当泥浆处于流动状态时,孔底浆压为:

$$P = \Delta P + 0.1\gamma' h' - P_h$$

式中 P——孔底灌浆压力;

ΔP——孔口压力;

γ'——泥浆密度;

h'——注浆管长度;

P_h——泥浆在注浆管中流动和沿孔壁或缝壁上升高度 h 时所产生的摩阻力,kPa。

根据水力劈裂原理,理论上当灌浆压力大于小主应力与土的抗拉应力之和时,土体被劈裂产生裂缝。以孔口压力表示,即 $\Delta P > \sigma_\varepsilon + |\sigma_\varepsilon| - 0.1\gamma' h' + P_h$ 时,堤身土体被劈裂。应指出,用该式确定孔口压力是偏大的,该式是在假定堤身没有裂缝条件下建立的,实事上是因堤身具有裂缝隙才进行灌浆处理的。

根据实践经验,孔口压力控制在 50~300kPa 是适宜的,大多采用 50~100kP 的孔口压力。

2. 单孔最大压力

单孔最大压力的确定尚无较多的经验。根据山东水科所试验资料,在孔底注浆条件下,建议按 1.5 倍的起始劈裂压力控制。

3. 屈服压力

当堤身土体全部或大部分被劈裂之后,堤身土体基本不存在抗劈裂的能力。在灌浆压力作用下,堤身土体在横向上可能会发生大幅度的位移,使堤处于屈服状态,这是灌浆施工要特别注意的问题。为避免产生不良后果,孔口压力减至零,改用自重灌浆。

三、泥浆浓度的控制

(一)干法制浆

将土料晒干加工成土粉。

用水土比(1:λ)控制泥浆浓度,每 1m³ 泥浆所需的干土量和水量,可按下式计算:

$$G_s = \lambda / (1 + \frac{\lambda}{\Delta_s})$$

$$G_w = \lambda / (1 + \frac{\lambda}{\Delta_s})$$

式中 G_s、G_w——分别为 1m³ 泥浆所需干土量和水量,t;

Δ_s——土料密度,一般为 2.7~2.74g/cm³;

λ——拟配泥浆的含土量。

用泥浆密度挖掘泥浆浓度,1m³泥浆所需的干土量和水量,按下式计算:

$$G_s = \Delta_s(\gamma' - \gamma_w)/(\Delta_s - 1) \tag{1}$$

$$G_w = \gamma' - \Delta_s(\gamma' - \gamma_w)/(\Delta_s - 1) \tag{2}$$

若 $\Delta_s = 2.72\text{g/cm}^3$, $\gamma_w = 1\text{t/m}^3$, 则式(1)、式(2)可简化为:

$$G_s = 1.58(\gamma' - 1) \tag{3}$$

$$G_w = \gamma' - 1.58(\gamma' - 1) \tag{4}$$

先确定拟采用泥浆密度 γ', 可用式(3)、式(4)算出配制 1m³ 泥浆所需干土量和水量。

(二)湿法制浆

用天然料场中的湿土直接拌制泥浆。泥浆浓度使用以下公式控制:

$$g_w = Kg_s \tag{5}$$

$$K = \frac{1}{\lambda(1 + \omega)} + \frac{1}{1 + \omega} - 1 \tag{6}$$

式中　g_w——拟配泥浆的加水量,kg;

　　　g_s——拌泥浆的湿土量,kg;

　　　K——加水系数;

　　　λ——欲配泥浆的含土量;

　　　ω——湿土的含水量,以小数计。

先确定所采用的水土比(1:λ),测定湿土的含水量,用式(6)算出加水系数 K 值,再用式(5)计算需加水量。

(三)泥浆浓度的调制

在灌浆过程中,根据孔内土体具体吃浆情况,及时调制泥浆的浓度,以达到最佳的灌浆效果。

用下两式计算加水量和加干土量。

1m³ 浓泥浆变稀的加水量:

$$\Delta G_w = (\frac{\lambda_s}{\lambda_s} - 1)/(1 + \frac{\lambda_s}{\Delta_s})$$

1m³ 浓泥浆变稀的加干土量:

$$\Delta G_s = (\lambda_s - \lambda'_s)/(1 + \frac{\lambda_s}{\Delta_s})$$

式中　λ_s、λ'_s——浓浆的含土量;

　　　其他符号意义同前。

(四)泥浆浓度的选用

在土体灌浆中,常用的泥浆密度在 1.2~1.6g/cm³ 之间,密度在 1.4g/cm³ 以上的泥浆为浓浆,以下为稀浆。原则上,开始灌用稀浆,待孔口压力突然下降或为负压,则反映堤身被劈裂,需改用浓浆。实践经验证明,先稀后浓的灌浆方法效果是好的。

泥浆浓度的选用,应根据筑堤土料的性质、填筑质量好坏、堤内隐患类型等具体加固要求而定。例如:壤土或砂质黏土筑堤,其含水量和干密度均较低,出现的裂缝长、宽,宜采用稀泥浆灌注。若填筑料为黏性土等,填筑质量符合要求,堤身土体渗透系数小于 $n \times 10^{-5}$

cm/s,对出现的裂缝进行灌浆,宜采用浓浆。

(五)泥浆外加剂

为提高浓浆效果,有时需在泥浆中掺些附加剂,以改善泥浆的性能。附加剂的种类很多,这里仅就水玻璃和水泥作以简单介绍。

1. 水玻璃

水玻璃即硅酸钠,为半透明的稠状液体,其密度为 $1.4 \sim 1.6g/cm^3$。

水玻璃掺入泥浆后,若掺入量占泥浆干土重的 $0.5\% \sim 2.0\%$ 时,能够降低泥浆的黏度和静切力。因此,在采用浓浆时,为降低其黏度和静切力,增加浓浆的流动性,在泥浆中加入少量的水玻璃。当掺入量超过 $3\% \sim 5\%$ 时,会增加泥浆的黏度和静切力,起着凝胶作用。水玻璃掺入量同时与泥浆的浓度、土料的矿物成分等因素关系密切,根据要求,进行现场试验确定水玻璃的最优掺入量为宜。

根据试验资料,在泥浆密度 $1.5 \sim 1.6g/cm^3$(相应的泥浆水土比为 $1:0.91 \sim 1:1.46$)时,水玻璃的掺量采用 $0.65\% \sim 1.20\%$ 为宜。

在不宜采用大灌浆压力的情况下,掺入水玻璃来改变泥浆的性能是可行的。

2. 水泥

在泥浆中掺入水泥,其黏度要比纯泥浆的黏度小一些,而密度要大一些,固结快一些,固结后的强度较高。因此,灌入堤内裂缝中水泥黏土浆会很快初凝,使浆液面不会因水分的滤出和体积收缩而下沉,亦不会在浆体结石中产生细小的水平裂缝(或裂缝)。但是,水泥黏土浆固结后的塑性较差,在堤身土体变形时易产生裂缝,掺入水泥后造价亦增大,故掺水泥时,要有周密的设计和比较。

四、灌浆工艺

(一)造孔

堤防高度较小,一般孔深不大,且又为灌浆孔,因此可根据灌浆设计确定的孔位施钻造孔。一般采用轻型移动式钻机较好,采用回转钻进、干钻、湿钻、泥浆钻进均可,亦可采用锥探成孔、麻花钻成孔等。

如果采用泥浆钻进,应以密度为 $1.2g/cm^3$ 左右的稀泥浆作为循环液为宜,不仅可以固壁,还可以充填细小的裂缝等,具有成孔快、效果好的优点,这在均质土坝灌浆加固中已得到很好的应用。

钻孔孔径大小对灌浆尤其是劈裂灌浆量无明显的影响,因此可根据钻探设备条件,在孔径 $25 \sim 130mm$ 间选择即可。只是孔径小的钻孔产生的摩阻力较大而已。

钻孔深度应根据堤身陷患分布深度而定,一般孔深大于隐患分布深度 $2m$ 即可。

(二)灌浆

灌浆一般分为分段灌浆和全孔灌浆两种方法。

堤身为土体,若采用分段(自下而上或自上而下)灌浆,孔内封孔(分隔层)比较困难,往往形成串浆,与全孔灌浆差别不大。分段灌浆法的段长一般采用 $5 \sim 10m$。

堤防工程高度不大,目前一般采用全孔灌浆法。全孔灌浆法又分为孔口注浆和孔底注浆两种形式。前者会因泥浆冲刷孔壁而导致塌孔后堵塞孔下部,下部泥浆不能流动而沉淀,全孔吃浆量小,灌浆质量差;后者则避免了以上缺欠,孔内泥浆由孔底翻向全孔,处于半循环状态,全孔吃浆量大,灌浆质量好。

采用孔底注浆法,孔口应埋设孔口管,埋设深度可在 2m 左右。一方面防止孔口坍塌,减少孔口冒浆;另一方面堤顶泥浆压力由孔口管承担,防止或延迟堤顶土体劈裂,泥浆在堤内处于封闭状态,便于提高灌浆压力,保证灌浆质量。灌浆停止后,堤身土体产生回弹压力较大,有利于提高浆体密度和固结,还可使浆体密度上、下基本一致。

由于泥浆面自下而上逐渐升高,随着浆柱的升高,作用于裂隙壁上的压力亦逐渐增大,使裂隙加宽或延伸,提高灌浆质量。故在提高灌浆压力时,应考虑这些因素,判断提高灌浆压力的必要性和经济性。一般而言,初灌时孔口压力 $\Delta P = 50 \text{kPa}$,泥浆浓度在 $1.3 \sim 1.4 \text{g/cm}^3$ 间选用,随后视吃浆情况改变灌浆压力和泥浆浓度。

为保证灌浆质量,应注意下面几个问题:

(1)多排孔灌浆时,应先灌边排孔,后灌中间排孔。

(2)单排孔灌浆时,采用逐步加密的方式,最后达设计要求的孔距。

(3)灌浆过程中,应经常检测浆液浓度、黏度和稳定性指标是否符合设计要求。

(4)灌浆时,应随时专人检查堤顶、内外堤坡等处有无漏浆、冒浆、开裂、塌陷、隆起等异常现象,发现问题及时采取措施。

(5)钻孔完成后,应及时开灌,以防塌孔等事故发生。

灌浆后,孔内泥浆排水固结,发生体缩,要不要进行复灌,复灌时间、复灌次数等,要根据堤防的重要性和陷患类型、灌浆设计要求而定。

五、终灌标准和封孔

(一)终灌标准

对充填式低压灌浆,一般采用孔口压力为定值的并浆终灌,定值可为 50MPa。在向孔内不断补充泥浆的情况下,待孔内不再吸浆时,30min 后即可终灌。

高压(劈裂式)灌浆,比较通用的终灌标准,当启动灌浆泵后,几分钟时间内堤顶即冒浆,此时,应在无压的情况下,反复轮灌不少于 3 次,待孔内泥浆面基本不再下降时,即可终灌。

(二)封孔

待灌浆结束,泥浆排水初凝后,用湿或干泥球(湿泥球晒干)或用浓泥浆封孔,前者适用于灌浆,后者适用于劈裂灌浆孔。

第二节　深层搅拌防渗墙施工

堤基防渗墙地质工程和堤身防渗墙建造,均可采用深层搅拌(单头、双头或多头小直径)方法施工。

一、施工前准备

(1)平整场地,清除地上、地下障碍;当地表土层太软时,应备有防止机械失稳的措施。

（2）布置开挖排水沟和集水井，应保持排水沟畅通。

（3）进行现场测量放线，测定桩位并做出明显标志。对测量水准点等应妥善保护。

（4）现场施工临时设施——供水、供电、道路、灰浆拌制系统、工作台和材料存放等均应建设完备。

（5）机械安装和试运行。在试运行时，要特别注意检查电网电压是否保持额定电压、电机电流是否超过额定值、搅拌旋转速度不得超过设计值的10%、输浆管和输水管是否畅通、各种仪表运行是否正常、检测数据是否准确等。

（6）主要机具设备检查。

二、浆液

（1）浆液主要材料为水泥和水，水泥在使用前应作质量鉴定，用水应符合拌和混凝土用水的水质标准。

（2）水泥浆液，可据工程需要加入适量的外加剂或掺和料构成复合浆液。所加外加剂和掺和料的量，应通过试验确定。

（3）浆液所用水泥品种、标号及水泥掺入比应符合设计要求，一般采用标号不低于425#普通硅酸盐水泥，水泥平均掺入比15%（重量比）。水泥应无结块，过4900孔筛筛余量不大于5%。

（4）浆液水灰比控制为0.5～1.0之间，，具体水灰比应由现场搅拌试验确定，无论采用何种水灰比的浆液，应确保水泥掺入比达15%。浆液存放有效时间应符合下列规定：①当气温＜10℃时，不宜超过5h；当气温＞10℃时，不宜超过3h；当浆液存放时间超过有效时间时，应按废浆液处理；浆液在存放期内，应控制浆体温度在5～40℃范围内，否则应按废浆液处理。②对浆液及浆液与土体混合体应当做物理和力学性能试验。③浆液试验内容包括比重、黏度、稳定性、初凝、终凝时间等。④凝固体试验内容包括抗压、抗折强度等。

三、深层搅拌施工

（1）按设计要求形成施工平台，施工平台高程误差应控制在±15cm范围内。为了较好地掌握桩所穿过地层的情况及防渗墙底高程，应沿防渗墙轴线布设先导孔，孔距为50m，先导孔应深入墙底线以下5m，局部堤段地质条件变化强烈的部位，应适当加密先导孔。对先导孔岩样进行详细鉴定和描述，并作出地质剖面图以指导搅拌施工。桩径偏差不得大于4%。

（2）桩的放样定位，孔位偏差为±5cm。搅拌机沿导向架下沉，偏斜率不应大于5‰。当采用悬挂或搅拌成墙时，墙深不应小于设计深度；当采用阻断或防渗墙时，墙体嵌扩相对隔水层或设计地层内的深度应达到设计要求，误差应小于±10cm。

（3）泵压压浆施工参数可参考表3-4-1选用。

（4）当深层搅拌机下沉至一定深度时，应及时按设计制备好水泥浆液，然后按以下步骤操作：①将水泥浆液倒入集料斗；②搅拌机下沉到设计深度后，开启灰浆泵将水泥浆压入地基中，且边喷浆边旋转，严格按设计确定的提升速度提升搅拌机；③再次将搅拌机边

表 3 - 4 - 1	搅拌桩压浆参数	
项目	深层搅拌桩	多头小直径深层搅拌桩
浆液流量	10L/min	以孔口溢出水泥浆为准
搅拌轴外径	按设计桩径	按设计桩径
提升速度	0.2～1.0m/min	Ⅲ～Ⅷ档

旋转边沉入土中,至设计深度后再将搅拌机提升出地面;④向集料斗中注入适量清水,开启灰浆泵,清洗全部管路中残存的水泥浆,直至基本干净,并将黏附在搅拌头的软土清洗干净。

(5)施工停浆浆面必须高出桩顶设计高程 0.5m,待桩体凝固后,将高出部分挖除。

(6)水泥浆液应严格过滤,并在搅拌机与集料斗间设一道过滤网。

(7)水泥浆液应随用随拌和,为防止离析,应在拌制机中不断搅动,待压浆前方缓缓倒入集料斗。

(8)浆液检查应采用标准试模采集试样,其数量为每地层应不少于 6 组,每组 3 件。

(9)供浆、供水必须连续。一旦中断,应将泵体和输浆管路清洗干净。

(10)当浆液达到出浆口后,应在桩底喷浆 30s,使浆液到达桩端。

(11)当喷浆口提升到设计桩顶时,应停止提升,搅拌数秒,以保证桩头均匀密实。

(12)搅拌机喷浆提升的速度和次数,必须符合设计的施工工艺要求,应记录搅拌机每米下沉和提升所需时间,深度记录误差不得大于 100mm,时间记录误差不得大于 5s。

(13)在搅拌压浆过程中,应及时填写施工记录,记录表格格式应符合有关规定。

(14)搅拌施工完毕,应向集料斗中注入适量清水,开启灰浆泵,清洗管路中残存的水泥浆,直至基本干净;并将黏附在搅拌头的软土清洗干净。

(15)当要求桩体内插筋时,必须在成桩后 2～4h 内插完。

四、桩间接头和穿堤建筑物与堤身土体接头处理要求

(1)对于要求搭接的桩孔,桩与桩的搭接间歇时间不应大于 24h,如因特殊原因超过上述时间,应对最后一根桩先进行空钻留出榫头,以待下一批桩搭接;如间歇时间过长(如停电等),后序桩无法搭接时,应采取局部补桩或注浆措施。

(2)成桩过程中遇到的堤内埋涵、涵洞、钢管、电缆等穿堤构筑物,应调查和探明构筑物尺寸及埋设高程,在其两侧的搅拌完成后,采用高喷注浆措施对该构筑物周围及上下地层进行封闭处理。

五、施工场地维护与清理

(一)环境和设施的保护

施工过程中,要保护堤防及其有关建筑物和设施;保护埋设好的观测设施、管路、电缆等;保护孔口和孔口装置;保护岩芯岩样等;保护环境,防止废油、废浆、废水等流入钻孔中。

(二)清理场地环境

施工中埋设的非要求永久保留的钢筋、钢管、木桩、木塞及其他辅助设施必须清除,亦可切割至建筑物表面或与地面齐平;非要求永久保留的孔洞必须用与孔洞壁相同的材料回填密实;废料、废渣、工作台等均应清除;排放的污水、废浆应作沉渣处理后排放。

废料、废渣,不需保留的岩芯岩样及其他废物等,必须清运至指定的地点。

有毒的污水应处理后排放,有毒物质(如化学灌浆材料、凝固的浆体等)必须按指定地点埋入地下,以防止人畜中毒和污染地下水土环境。

六、深层搅拌防渗墙质量要求

搅拌桩的尺寸应满足设计要求,其物理力学指标应满足:

(1)单轴抗压强度大于 1.0MPa;

(2)渗透系数 $K < n \times 10^{-6}$ cm/s;

(3)允许渗透比降大于 50。

只要孔位偏差(或变动)超过规定值都必须加补搅拌桩,以确保桩间的可靠连接。

在施工过程中有搅拌头未到底,压浆时浆口未出浆,提升过快,旋转过快或过慢等任何一种不良情况,都应补孔重新搅拌压浆,以保证桩的质量。

七、质量检查

(1)按设计要求,对施工过程及成桩桩体质量进行检验。

(2)施工过程检验包括桩位、桩顶及桩底高程、桩直径、水泥掺入比、搅拌头喷浆速度、浆液水灰比等施工全过程的检验。

(3)墙体(搅拌桩组成)质量检验采用钻孔取芯、开挖检验。

钻孔取芯:施工 28d 后,采用钻探取芯,对岩芯的均匀程度应完整地、详细地描述;检验水泥土岩芯的抗压强度、渗透系数、允许渗透比降等;堤段每 300m 抽检 1 孔,不足 300m 亦应布设 1 孔,每标段钻孔数不少于 3 个,每孔取样 2 组,取样部位为钻孔中部和底部;终孔后用水泥砂浆封孔。

开挖检验:沿线每隔 0.5km 开挖 1 处,检查外观质量、桩体是否有蜂窝孔洞、墙体厚度、桩间搭接、墙的整体性等;检验不合格时应加倍检查。

八、先导孔、质量检查孔及取样

按《水利水电工程钻探规程》执行。

九、记录与资料整理

(1)施工过程要有详细记录,需修改时,应在旁边写出正确的文字,并要加盖章。

(2)提供的原始记录、图纸、报告等要清晰易读,要有资料编号等。

第三节　锥探灌浆

一、基本原理

锥探灌浆目前有自流灌浆和压力灌浆两种。自流灌浆是利用一定高差产生的压力进行孔内灌浆,压力灌浆则是由压力泵给泥浆一定的压力向孔内灌浆,二者统称为锥探灌浆。根据不同的目的和施灌的方法不同,又可分为充填灌浆和劈裂灌浆两种。但是,目前应用最多的是充填灌浆。

充填式锥探压力灌浆,是在一定压力作用下,泥浆在锥孔内产生张力。当泥浆张力达一定值后,泥浆随之充填堤身土体空隙,或孔壁局部土体应力较小部位开裂使泥浆充填,或在泥浆张应力作用下沿堤身土体最小应力方向开裂而充填泥浆。如在孔周围有空穴等亦即被泥浆充填。由此不难看出,泥浆灌入堤身土体内,并非均匀地渗入孔壁周围,而是沿小应力方向形成浆脉,以浆脉形式分布于孔壁周围。锥探灌浆对堤身土体的作用方式有如下几种。

(一)充填作用

堤身土体内的各种缝隙、空洞等只要与灌浆孔连通,均可被泥浆充填,甚至宽1mm的裂缝亦能得到充填。灌浆后堤身土体的完整性和土体密实度得到较好的改善。

(二)挤压作用

灌浆孔壁土体在孔内泥浆柱或注浆压力作用下,将受到一定的压力或一定的挤压作用。但是,由于堤身土体往往均处在较干燥的状态,所以这种较小的压力对于提高堤身土体密实度影响(作用)较小,一般在浆体周围5~50cm范围内对堤身土体密度影响较明显(据漳卫南管理局资料)。

(三)湿陷作用

在堤身土体松散、密实度低或堤身土体内有空穴等堤段锥探灌浆时,灌浆中或灌浆后土体产生湿陷、堤顶下沉,伴随湿陷而产生裂缝,有的堤顶在灌浆结束后下沉深度达50cm。如果能及时采取复灌处理,对堤身土体密实度提高非常有益。

(四)劈裂作用

当灌浆压力超过堤身土抗拉强度后,经短暂的时间,在堤顶面形成裂缝,并有泥浆溢出,当加长注浆管时,会延长裂缝开裂时间,使劈裂作用发挥得更充分,如果使灌浆孔加密,还可形成连续的浆体——"帷幕"。

二、浆液制作

锥探灌浆,选择泥浆非常重要,泥浆性能优劣直接影响着灌浆效果,如果泥浆能达到浓度大、流动性好,稳定性高、失水性好等特性,灌浆效果会很好,这就必须很好选择土料。

(一)土料质量

黏粒含量不易太少。黏粒含量少,成浆率低、泥浆稳定性差、易沉淀、易堵塞细小的空洞和裂隙等,影响灌浆效果。反之,黏性含量太高,不易粉碎和分散、浆液黏度大、流动性差、固结慢、固结后收缩率大等,灌浆效果亦不好。砂粒含量亦不易过高,砂粒过多,泥浆不稳定、易沉淀,对泥浆泵和搅拌机等损坏严重,影响机械的寿命。根据漳卫南管理局的实践经验,选用土料的标准一般为粉质黏土或重粉质壤土。

黏粒含量	20%~45%
粉粒含量	30%~70%
砂粒含量	<15%
塑性指数	>10

有机质含量	<2%
可溶盐含量	<8%

(二)浆液质量

作为充填灌浆,则要求泥浆具有一定的流动性、悬浮性,在输浆管中不发生沉淀;浆液充填土体后,浆液水土离析,沉淀凝固快,具有干缩率小而充填率高等特性。要制作高质量的泥浆,对水土比的控制则是关键的步骤,一般采用下式进行浆液中水土量的计算,每立方米泥浆所需干土重和水重如下:

$$W_土 = \frac{x}{1 + \dfrac{x}{G_s}} \quad ; \quad W_水 = \frac{x}{1 + \dfrac{x}{G_w}}$$

式中 $W_土$、$W_水$——土和水的质量,kg;

  x——加入土的质量,kg;

  G_s——土粒比重;

  G_w——水比重。

亦可参考表3-4-2所列土、水重比例制作泥浆。

表3-4-2　　　　　　　　每立方米泥浆中干土重和水重对应

泥浆稠度		每立方米泥浆			备注
容重(kN/m³)	水:土	干土重(t)	水重(t)	土体积(m³)	
12	1:0.36	0.370	0.883	0.212	泥浆的容重一般控
13	1:0.59	0.476	0.824	0.376	制在 13~17kN/m³
14	1:0.83	0.635	0.765	0.423	之间。水土比一般
15	1:1.12	0.793	0.706	0.529	在1:0.5~1:1.4
16	1:1.47	0.952	0.648	0.635	之间
17	1:1.89	1.110	0.588	0.741	

在灌浆过程中,浆液的浓度根据耗浆情况亦要变换,需要在浆液中加干土或水的量亦可根据上式计算,确定在泥浆中加入的干土量或水量。

三、灌浆施工

(一)注浆流程

注浆流程如图3-4-1所示。

图3-4-1　注浆流程图

（二）注浆压力

注浆压力大一些，注浆效果会更好一些。但是，土体的抗拉强度很低，施加压力很困难。一般来说，只要把孔口压力能控制好就能达到预期的效果。孔口压力如何计算，尚没有较成熟的公式，仅有经验公式，如：

$$\Delta P = 0.1hk(\gamma_1 - \gamma_2)$$

式中　ΔP——孔口压力，kg/cm^2；

　　　k——孔深，m；

　　　h——黏滞系数，砂土一般取 1、黏土取 2、壤土取 1.5；

　　　γ_1——堤身土密度，g/cm^3；

　　　γ_2——泥浆密度，g/cm^3。

按照该公式计算的孔口压力一般为 $1.0 \sim 1.5kg/cm^2$。

（三）灌浆过程中易出现的问题

(1)串孔：一孔灌浆，邻近孔冒浆。处理方法，用木塞塞住冒浆孔，亦可以调制浓浆、降低压力；必要时亦可加大孔距等。

(2)喷浆：注浆管拔出后，孔内泥浆冒出。因孔内空气未排出所致。处理方法，一是拔出管子将空气排出；一是在向孔内插入管子前先排出空气。

(3)冒浆：在灌浆时从堤顶、堤坡、坡脚或地面冒出泥浆的现象。一般是由于裂缝、洞穴等隐患与灌浆孔相连所致。处理方法，一是浆液变浓或降低压力，或停停灌灌，或待冒浆通道被堵塞后再打孔施灌；对于严重冒浆处应开挖回填后再打孔灌浆。

(4)堤顶沉陷：在灌浆一段时间后，堤身面下沉的现象。主要因为堤身土体松散、浆液中水进入堤身土体引起土体软化、强度降低，在土体重力作用下产生湿陷变形。这种情况下，可以继续施灌，灌后回填夯实，恢复堤顶高度。

(5)堤面隆起或产生裂缝：由压力太大或注浆管插入的深度太浅所致。处理方法，应减小灌浆压力或将注浆管向深部插入；如果新产生的裂缝太大时，应停止注浆，开挖回填夯实后再继施灌。

四、灌浆质量检查

(1)最常用、最直接的方法当属开挖和钻探检查。该方法简便，但耗资较大。

(2)采用复灌时的耗浆量来判断灌浆效果和注浆的质量。此方法较好，在检查灌浆效果的同时，对堤防工程堤身土体实施了第二次加固，但判别标准只能用前次耗浆量与此次耗浆对比，具有一定的偶然性，不一定准确。

(3)物探方法。此法较好，但必须于灌前和灌后在同一点(线)上做，这样才易形成对比。

第四篇

堤防工程质量检查实例

近几年来,我们对海河流域河道一、二级堤防工程的质量和可能存在的隐患进行了检查,检查堤防工程的总长度在 2 000km 以上,收到很好的效果,给堤防工程加固设计提供了较好的、系统的科学依据。据此,还对湖北、山东、湖南等几座危坝进行了系统的质量检查,根据检查出的隐患,实施加固工程,使水库得以正常运行。现举例如下,仅供参考。

第一章　××河系堤防工程地质勘察

第一节　××河堤防工程地质

一、左堤堤身土体质量

左堤上游及下游以壤土为主,局部为砂壤土;中游以砂壤土、壤土为主。从颗粒分析成果看,壤土黏粒含量多在 10% ~ 20% 之间,粉粒含量在 40% ~ 60% 之间。按桩号分段如下:

桩号 0+000—6+000 堤身土体为壤土,其含水量为 13.1% ~ 19.4%;堤身土体填筑干密度 1.23 ~ 1.47g/cm³;黏粒含量 27%,粉粒含量 50.8%;堤身土体击实试验最大干密度为 1.73g/cm³,填筑质量控制干密度按 0.92 折减应为 1.59 g/cm³,所取样品的填筑干密度均比质量控制干密度低,分别低 10.3% 和 25%。

桩号 6+000—22+500 堤身土体为砂壤土、壤土及粉砂,其中砂壤土:堤身土体含水量 9.6% ~ 11.5%,填筑干密度 1.28 ~ 1.29g/cm³;壤土:堤身土体含水量平均值为 11.7%,填筑干密度 1.27g/cm³;黏粒含量 11.2%,粉粒含量 49%。堤身土体击实试验,最大干密度为 1.62 ~ 1.72g/cm³,堤身土体质量控制干密度小值应为 1.49g/cm³,所取 10 个样品的填筑干密度均低于此值,低 8% ~ 25%。

桩号 22+500—30+000 堤身土体为壤土,其含水量平均值为 12.1%;填筑干密度 1.33g/cm³;黏粒含量 21.7% ~ 25.2%,粉粒含量 43.3% ~ 44.4%;堤身土体击实试验最大干密度为 1.71 g/cm³,堤身土体填筑质量控制干密度应为 1.57g/cm³,所取 5 个样品的填筑干密度均低于此值,低 11% ~ 20%。

桩号 30+000—50+000 堤身土体以壤土为主,局部表层 1m 为砂壤土,其堤身土体含水量平均值为 11.7%;填筑干密度 1.30g/cm³;黏粒含量 14.8%,粉粒含量 41.9%;堤身土体击实试验最大干密度为 1.65 ~ 1.74g/cm³,堤身土体填筑质量控制干密度应为 1.52 ~ 1.60g/cm³,所取 9 个样品的填筑干密度均低于此值,比填筑质量控制干密度小值尚低 12% ~ 19%。

桩号 50+000—72+000 堤身土体为砂壤土,其含水量平均值 11.0%,填筑干密度 1.29g/cm³;堤身土体击实试验最大干密度为 1.64 ~ 1.66g/cm³,堤身土体填筑质量控制干密度小值应为 1.51g/cm³,所取 4 个样品的填筑干密度均低于此值 12% ~ 13%。

桩号 72+000—80+000 堤身土体为壤土,其含水量平均值为 8.3%;填筑干密度 1.33g/cm³;黏粒含量 10%~30%,粉粒含量 37.7%~64.5%;堤身土体击实试验最大干密度为 1.69g/cm³,堤身土体填筑质量控制干密度应为 1.55g/cm³,所取 4 个样品的填筑干密度均低于此 5%~20%。

桩号 80+000—110+000 堤身土体以砂壤土、壤土为主,局部为粉砂。壤土其含水量平均值为 8.4%;填筑干密度 1.31g/cm³;黏粒含量 14.8%,粉粒含量 49.3%;砂壤土含水量平均值为 5.0%;填筑干密度 1.30g/cm³。堤身土体击实试验最大干密度为 1.71~1.80g/cm³,堤身土体填筑质量控制干密度应为 1.57~1.65g/cm³,所取 16 个样品的填筑干密度均低于其质量控制干密度的小值 8%~24%。

桩号 110+000—122+500 堤身土体为壤土,其含水量平均值为 12.7%,填筑干密度 1.32g/cm³,黏粒含量 22.3%,粉粒含量 49.4%;堤身土体击实试验最大干密度为 1.68~1.75g/cm³,堤身土体填筑质量控制干密度应为 1.55~1.61g/cm³,所取 6 个样品的填筑干密度均低于其小值,低 9%~21%。

桩号 122+500—138+000 堤身土体以壤土为主,局部为砂壤土。其含水量平均值为 10.3%,填筑干密度 1.32g/cm³,黏粒含量 12.9%,粉粒含量 60.1%;堤身土击实试验最大干密度为 1.69~1.75g/cm³,堤身土体填筑质量控制干密度应为 1.55~1.61g/cm³,所取 8 个样品的填筑干密度均低于其小值,低 7.7%~20%。

桩号 138+000—150+000 堤身土以砂壤土、壤土为主,其中壤土含水量平均值为 8.1%,填筑干密度 1.34g/cm³,黏粒含量 10.1%,粉粒含量 61.8%;砂壤土含水量平均值为 7.1%~8.5%,填筑干密度 1.22~1.33g/cm³。堤身土体击实试验最大干密度为 1.74g/cm³,堤身土体填筑质量控制干密度应为 1.60g/cm³,所取 7 个样品的天然干密度均低于其小值,低 9%~23%。

综上所述,筑堤土多为就地取土,多为壤土、砂壤土,局部为粉砂。据试验资料分析及野外观察,堤身土体干密度小、孔隙比大、结构疏松;筑堤土料为壤土/砂壤土或砂壤土的堤段达 74.7%,壤土堤段仅占 25.3%(其黏粒含量多大于 15%);勘察各堤段堤身土体的填筑干密度均比其相应填筑质量控制干密度小 5%~25%。故左堤工程土体质量均判定为 II₃ 类。

二、右堤堤身土体质量

右堤上游以壤土、砂壤土为主,局部为粉砂、粉土,中游以壤土为主,下游以砂壤土、壤土为主。从颗粒分析成果看,壤土黏粒含量多在 10%~15% 之间,粉粒含量在 45%~60% 之间。按桩号分段如下:

桩号 0+000—7+900 堤身土体为粉土、砂壤土,其中粉土含水量 9.1%,填筑干密度 1.47g/cm³;砂壤土含水量平均值为 7.7%;填筑干密度 1.50g/cm³。堤身土体击实试验,最大干密度为 1.81~1.83g/cm³,堤身土体填筑质量控制干密度按压实度 0.92 折减应为 1.67~1.68g/cm³,所取 7 个样品的填筑干密度均比质量控制干密度小值低 5%~14%。

桩号 7+900—17+000 堤身土体为壤土,其含水量平均值为 14.0%,填筑干密度 1.30g/cm³;黏粒含量 15.3%,粉粒含量 57.6%。根据击实试验,最大干密度为 1.68~1.74g/cm³,填筑质量控制干密度小值应为 1.54g/cm³,所取 13 个样品的填筑干密度均低于此值 8.4% ~ 26%。

桩号 17 + 000—22 + 500 堤身土体以砂壤土为主,其含水量平均值为 10.2%;填筑干密度 1.33g/cm³。堤身土体击实试验最大干密度为 1.71 g/cm³,堤身土体填筑质量控制干密度应为 1.57g/cm³,所取 7 个样品的填筑干密度均低于此值 7% ~ 16%。

桩号 22 + 500—37 + 000 堤身土体为壤土,其含水量平均值为 12.6%;填筑干密度 1.41g/cm³;黏粒含量 20.0%,粉粒含量 52%。堤身土体击实试验最大干密度为 1.71 g/cm³,堤身土体填筑质量控制干密度应为 1.57g/cm³,所取 12 个样品中,67% 样品的填筑干密度比此值低 7% ~ 22%,25% 的样品低 1% ~ 5%,仅 8% 的样品大于此值。

桩号 37 + 000—51 + 000 堤身土体为壤土,其含水量平均值 10.0%,填筑干密度 1.29g/cm³,黏粒含量 12.3%,粉粒含量 51.3%。击实试验最大干密度为 1.65 ~ 1.79 g/cm³,筑堤填筑质量控制干密度小值亦应为 1.52g/cm³,所取 10 个样品的填筑干密度均低于此值 4.6% ~ 27.6%。

桩号 51 + 000—61 + 000 堤身土体以壤土为主,局部为砂壤土,其壤土含水量平均值为 12.7%;填筑干密度 1.27g/cm³;黏粒含量 10.7%,粉粒含量 63.1%。堤身土体击实试验最大干密度为 1.71 ~ 1.73g/cm³,筑堤填筑质量控制干密度小值亦应达 1.57g/cm³,所取 10 个样品的填筑干密度均低于此值 9.5% ~ 28.7%。

桩号 61 + 000—71 + 000 堤身土体为壤土,其含水量平均值为 13.4%;筑堤填筑干密度 1.30g/cm³;黏粒含量 18.4%,粉粒含量 58.5%。堤身土体击实试验最大干密度为 1.72g/cm³,堤身填筑质量控制干密度应达 1.58g/cm³,所取 10 个样品的填筑干密度均低于其小值 6% ~ 26.6%。

桩号 71 + 000—81 + 000 堤身土体为壤土,其含水量平均值为 6.7%,填筑干密度 1.35g/cm³;黏粒含量 12.3%,粉粒含量 54.6%。堤身土体击实试验最大干密度为 1.77 ~ 1.82g/cm³,筑堤填筑质量控制干密度小值应达 1.63g/cm³,所取 8 个样品的填筑干密度均低于其小值 10.4% ~ 22.7%。

桩号 81 + 000—94 + 500 堤身土体为壤土、砂壤土,局部见黏土,其中壤土的含水量平均值为 10.9%,填筑干密度介于 1.13 ~ 1.45 g/cm³,平均值 1.28g/cm³;黏粒含量 16.4%,粉粒含量 41.4%;砂壤土的含水量平均值为 5.9% ~ 9.4%,填筑干密度 1.21 ~ 1.39 g /cm³。筑堤填筑质量控制干密度按 1.59g/cm³ 考虑,现堤身土体填筑干密度均低于此值 8.8% ~ 34.6%。

桩号 94 + 500—110 + 000 堤身土体以砂壤土为主,局部为壤土,其中砂壤土的含水量平均值为 8.4%,填筑干密度 1.35g/cm³;壤土的含水量平均值为 6.8%,填筑干密度 1.32g/cm³,黏粒含量 16.4%,粉粒含量 46.1%。堤身土体击实试验最大干密度为 1.74 ~ 1.76g/cm³,堤身土体填筑质量控制干密度小值亦应达 1.60g/cm³,所取 21 个样品中,填筑干密度比此值低 8.8% ~ 25%。

桩号 110 + 000—134 + 500 堤身土体以壤土和砂壤土为主,其中壤土的含水量平均值为 9.6%,堤身土体填筑干密度 1.32g/cm³,黏粒含量 16.7%,粉粒含量 55.5%;砂壤土含水量平均值为 6.5%,堤身土体填筑干密度 1.28g/cm³。堤身土体击实试验最大干密度为 1.61 ~ 1.74g/cm³,筑堤填筑质量控制干密度小值亦应达 1.48g/cm³,所取 16 个样品的填筑干密度比此值低 5% ~ 20% 的占 75%,比此值低 1% ~ 5% 的占 19%,大于此值的仅占 6%。

桩号 134+500—142+500 堤身土体为壤土,其含水量平均值为 7.7%,填筑干密度 1.26g/cm³,黏粒含量 20.4%,粉粒含量 55.7%。堤身土体击实试验最大干密度为 1.66~1.71g/cm³,堤身填筑质量控制干密度小值应达 1.53g/cm³,所取 7 个样品的填筑干密度比此值低 12.4%~24%。

综上所述,筑堤土多为就地取土,一般为壤土和砂壤土,局部为粉砂、粉土。筑堤土料以壤土/砂壤土组合的堤段占 46.2%,壤土堤段占 53.8%(其中黏粒含量小于 12.3%的占 24.6%);组成各堤段堤身土体干密度较相应堤防工程级别应达到的堤身土体干密度要低得多。故右堤防工程土体质量判定为 II₃ 类。

三、其他问题

(1)沿岸村、镇较多,因而穿越堤防的公路、便道较多,这些部位一般堤高不够。另外,亦有堤防断面偏小及不均匀沉降等问题。

(2)据现场调查,堤身中存在蚁穴及孔洞,局部堤段堤坡陡、小冲沟发育。

(3)据粗略调查,灌溉渠道、废弃闸址和扬水站等穿堤建筑物,沿河两岸共有 40 余处(部分已掩埋)。上述建筑物多在堤身中下部穿过,建筑物与堤身土体接触部位防渗措施不够,这些部位都可能是隐患。

第二节　堤防工程地基

一、左　岸

(一)桩号 0+000—40+400

本段地面高程 40.6~36.2m,地形平坦,局部由于取土或堆土形成洼地或高地。钻孔揭露深度范围内均为第四系全新统冲积松散堆积物,主要有粉质壤土、粉质砂壤土、粉质黏土、粉土及粉细砂等。在剖面上,粉质壤土占 50%左右,厚度大且分布稳定,是主要的堤基土类型;粉质砂壤土次之,占 25%左右,有一定的连续性;粉质黏土、粉土及粉砂等合计占 25%左右,在上部粉质壤土层中主要以夹层形式出现,厚度一般较小,连续性较差;粉细砂层主要在土层下部分布,并有一定厚度和连续性。现就堤基土各土质类型地质特征简述如下:

(1)粉质壤土。黄绿色、褐色及褐黄色,干、稍湿或湿,呈坚硬、硬塑或可塑状态,质地不均匀,夹有黏土团粒、团块或薄层,具中等压缩性和弱透水性。

(2)粉质砂壤土。黄绿色,干、稍湿或湿,松散、稍密或中密,质地较均匀,层理较明显,夹有壤土或黏土团块及薄层,具中等压缩性和中等透水性。

(3)粉质黏土。棕红色、褐黄色,湿,硬塑或可塑,质地均匀、细腻,具中等压缩性。

(4)粉土。黄绿色、灰黄色,稍湿或湿,质地均匀,具中等偏低压缩性和中等透水性。

(5)粉细砂。黄绿色,稍湿、湿或很湿,稍密或中密,质地均匀,具中等压缩性和中等透水性。

堤基土体物理力学性质试验成果见表 4-1-1。

表 4－1－1

堤基土物理力学性质试验成果统计表

岩性	数值类型	天然基本物理指标						物理指标			颗粒分析		
		含水量(%)	湿密度(g/cm³)	干密度(g/cm³)	孔隙比	饱和度(%)	比重	液限(%)	塑限(%)	塑性指数	砂粒(%)	粉粒(%)	黏粒(%)
粉砂	组数	14	14	14	14	14	14	2	2	2	14	14	14
	最大值	21.7	1.86	1.60	1.037	72	2.70	29.1	22.1	11.4	91.0	47.0	2.7
	最小值	6.2	1.40	1.32	0.664	16	2.67	24.8	17.7	2.7	50.5	9.0	0.0
	算术平均值	11.1	1.62	1.45	0.850	36	2.68	27.0	19.9	7.1	71.2	27.6	1.2
	小值平均值	—	1.52	1.38	—	—	—	—	—	—	—	—	—
粉土	组数	8	8	8	8	8	8	1	1	1	9	9	9
	最大值	24.4	1.97	1.58	1.016	94	2.70	—	—	—	46.0	81.4	2.8
	最小值	5.7	1.43	1.33	0.696	19	2.67	—	—	—	46.0	81.4	2.8
	算术平均值	10.9	1.64	1.47	0.830	37	2.69	28.4	23.8	4.6	32.7	66.3	1.0
	小值平均值	—	1.54	1.38	—	—	—	—	—	—	—	—	—
粉质砂壤土	组数	30	30	30	30	30	32	17	17	17	31	31	31
	最大值	29.0	1.91	1.68	1.030	95	2.72	32.3	21.9	11.5	78.7	86.1	9.8
	最小值	4.7	1.40	1.33	0.599	13	2.65	24.3	17.8	3.3	7.6	15.4	3.0
	算术平均值	10.8	1.63	1.47	0.834	35	2.69	28.3	19.9	8.3	32.1	61.7	6.2
	小值平均值	—	1.52	1.42	—	—	—	—	—	—	—	—	—
粉质壤土	组数	37	36	36	36	36	37	22	22	22	29	29	29
	最大值	32.0	1.98	1.74	1.134	100	2.72	41.6	23.5	18.1	44.5	78.1	27.1
	最小值	6.2	1.41	1.27	0.555	20	2.67	23.8	16.4	7.4	6.4	39.0	10.3
	算术平均值	16.4	1.74	1.50	0.811	55	2.70	29.9	18.9	11.0	23.0	60.9	16.1
	小值平均值	—	1.58	1.41	—	—	—	—	—	—	—	—	—
粉质黏土	组数	14	14	14	13	13	13	12	12	12	10	10	10
	最大值	38.3	2.03	1.56	1.270	100	2.74	50.2	28.3	21.9	14.6	58.6	50.9
	最小值	19.7	1.49	1.20	0.731	51	2.70	33.3	19.4	13.9	8.7	39.6	30.1
	算术平均值	28.9	1.82	1.41	0.935	84	2.72	42.0	24.3	17.7	11.3	50.3	38.4
	小值平均值	—	1.66	1.30	—	—	—	—	—	—	—	—	—

续表4-1-1

岩性	数值类型	压缩		三轴(uu)		三轴(cu)				渗透	化学	
		压缩系数 (MPa^{-1})	压缩模量 (MPa)	凝聚力 (kPa)	摩擦角 (°)	凝聚力 (kPa)	摩擦角 (°)	有效凝聚力 (kPa)	有效摩擦角 (°)	渗透系数 (cm/s)	易溶盐 (%)	有机质 (%)
粉砂	组数	4	4	4	4	—	—	—	—	6	3	3
	最大值	0.193	28.342	20.0	35.0	—	—	—	—	2.4×10^{-3}	0.08	0.29
	最小值	0.056	9.689	0.0	9.0	—	—	—	—	5.9×10^{-4}	0.02	0.10
	算术平均值	0.124	17.529	5.8	25.1	—	—	—	—	1.3×10^{-3}	0.04	0.20
	小值平均值	—	—	1	9	—	—	—	—	—	—	—
粉土	组数	5	5	2	2	—	—	—	—	4	1	1
	最大值	0.2	23.1	12.0	33.8	—	—	—	—	7.9×10^{-4}	—	—
	最小值	0.1	10.4	11.0	20.0	—	—	—	—	2.3×10^{-4}	—	—
	算术平均值	0.1	15.6	11.5	26.9	—	—	—	—	4.4×10^{-4}	0.05	0.22
	小值平均值	—	—	11	20	—	—	—	—	—	—	—
粉质砂壤土	组数	11	11	6	4	1	1	1	1	10	5	5
	最大值	0.450	17.124	64	27.7	—	—	—	—	6.9×10^{-4}	0.13	0.29
	最小值	0.103	3.808	2	2.5	—	—	—	—	1.1×10^{-5}	0.01	0.14
	算术平均值	0.235	9.428	16	12.8	47	28.6	22.0	32.0	2.2×10^{-4}	0.07	0.22
	小值平均值	—	—	6	2.6	—	—	—	—	—	—	—
粉质壤土	组数	11	7	5	5	3	3	3	3	5	1	1
	最大值	0.495	17.271	45	7.9	39	37.0	75	39.8	1.5×10^{-4}	—	—
	最小值	0.094	3.947	4	1.1	7	21.1	13	29.6	1.1×10^{-5}	—	—
	算术平均值	0.317	6.955	20	3.7	21	27.2	40	33.6	6.8×10^{-5}	0.07	0.39
	小值平均值	—	—	10	2.1	11.5	22.3	13	30.6	—	—	—
粉质粘土	组数	7	7	5	5	2	2	2	2	1	1	1
	最大值	0.488	10.321	97	20.7	43	18.0	30	28.3	—	—	—
	最小值	0.182	4.266	2	2.6	5	17.8	26	22.2	—	—	—
	算术平均值	0.280	7.546	39	8.8	24	17.9	28	25.3	0	0.08	0.57
	小值平均值	—	—	16	4.9	—	—	—	—	—	—	—

堤基土承载力完全可满足上部堤身附加荷载的要求。堤基土体具中等或中等偏低压缩性土层,在高度小于 7m 的堤身土体荷载作用下不会产生较大的沉降量。

由于堤基土以粉质壤土为主,厚度大且连续分布,粉土或砂性土多呈夹层,且夹层中含有黏性土团块。当地震动峰值加速度达 0.10g 时,土体饱和震动液化微弱,堤基土体物理力学性质指标建议值见表 4-1-2。

表 4-1-2　　　　　　　　　　　堤基土体物理力学性质指标建议值表

土质类型	密度		抗剪强度		压缩模量	渗透系数
	干(g/cm³)	湿(g/cm³)	C(kPa)	Φ(°)	E_{s1-2}(MPa)	K(cm/s)
粉质黏土	1.41	1.82	20	13	6	—
粉质壤土	1.50	1.74	10	17	6	6.8×10^{-5}
粉质砂壤土	1.47	1.63	2	19	8	2.2×10^{-4}
粉土	1.47	1.64	—	—	12	4.4×10^{-4}
粉砂	1.45	1.62	—	—	14	1.3×10^{-3}

建议堤基土在天然饱和状态下的抗剪强度综合指标为 $C = 10$kPa、$\Phi = 18°$。堤基土渗透破坏型式以流土为主,建议土体渗透破坏允许坡降为 $I_{允} = 0.21 \sim 0.39$。

(二)桩号 40+400—79+700

本段地面高程 36.2~30.4m,地势平坦,局部由于取土或堆土形成洼地或高地。钻孔揭露深度范围内均为第四系全新统冲积松散堆积物,主要有粉质壤土、粉质砂壤土、粉质黏土、粉土及粉细砂等。在剖面上,粉质壤土占 45%~50%,厚度大且分布稳定,粉质黏土次之,占 35% 左右,在上部土层中呈透镜体状分布(厚度 0.2~1.5m),在下部土层中则厚度增大,并呈连续分布(桩号 58+000 以后);粉质砂壤土占 15%~20%,厚度变化较大(0.2~6.0m),连续性相对较差。现就堤基土地质特征简述如下:

(1)粉质壤土。黄绿色、褐色及褐黄色,干、稍湿或湿,坚硬、硬塑或可塑,质地不均匀,夹有黏土团粒、团块或薄层,具中等压缩性和中等透水性。

(2)粉质黏土。褐红色、棕红色及褐黄色,稍湿或湿,硬塑或可塑,质地均匀,具高压缩性和微透水性。

(3)粉质砂壤土。黄绿色,干、稍湿或湿,松散、稍密或中密,质地较均匀,层理较明显,夹有壤土或黏土团块及薄层,具中等压缩性和弱透水性。

(4)粉土。黄绿色、灰黄色,稍湿或湿,质地均匀,具中等压缩性和中等透水性。

(5)粉细砂。黄绿色,稍湿、湿或很湿,稍密或中密,质地均匀,具中等压缩性和中等透水性。

堤基土体物理力学试验成果见表 4-1-3。

表 4 - 1 - 3

堤基土物理力学性质试验成果统计表

岩性	数值类型	天然基本物理指标						物理指标			颗粒分析		
		含水量(%)	湿密度(g/cm³)	干密度(g/cm³)	孔隙比	饱和度(%)	比重	液限(%)	塑限(%)	塑性指数	砂粒(%)	粉粒(%)	黏粒(%)
粉砂	组数	6	6	6	6	6	6	1	1	1	7	7	7
	最大值	25.5	1.94	1.55	1.033	93	2.70	—	—	—	95.4	48.6	2.7
	最小值	3.8	1.40	1.32	0.736	12	2.68	—	—	—	48.7	4.6	0.0
	算术平均值	10.9	1.59	1.43	0.892	37	2.69	26.9	22.8	4.1	65.0	34.1	0.9
	小值平均值	—	1.44	1.34	—	—	—	—	—	—	—	—	—
粉土	组数	2	2	2	2	2	2				2	2	2
	最大值	12.8	1.66	1.47	0.895	42	2.68				47.0	53.1	1.8
	最小值	7.5	1.52	1.41	0.824	23	2.68				46.1	51.2	0.8
	算术平均值	10.2	1.59	1.44	0.860	33	2.68				46.6	52.2	1.3
	小值平均值	—	1.52	1.41	—	—	—				—	—	—
粉质砂壤土	组数	14	14	14	14	14	14	7	7	7	13	13	13
	最大值	29.5	1.93	1.59	1.100	92	2.72	32.6	20.2	12.4	45.6	81.2	9.8
	最小值	5.6	1.38	1.29	0.682	17	2.68	24.8	16.5	5.4	11.1	45.3	3.9
	算术平均值	12.1	1.64	1.47	0.849	40	2.70	27.5	18.8	8.6	24.0	68.6	7.4
	小值平均值	—	1.49	1.39	—	—	—	—	—	—	—	—	—
粉质壤土	组数	30	30	30	30	30	30	20	20	20	25	25	25
	最大值	30.9	1.96	1.63	1.151	97	2.74	32.5	20.5	13.1	53.5	73.0	27.1
	最小值	6.5	1.35	1.25	0.650	20	2.68	23.5	16.4	7.1	5.9	25.0	10.2
	算术平均值	16.5	1.77	1.52	0.787	57	2.70	27.5	18.0	9.5	25.9	57.1	17.0
	小值平均值	—	1.66	1.43	—	—	—	—	—	—	—	—	—
粉质黏土	组数	3	3	3	3	3	3	3	3	3			
	最大值	35.9	1.82	1.38	1.106	94	2.75	52.5	29.7	22.8			
	最小值	27.4	1.75	1.31	0.978	76	2.72	35.4	22.6	12.8			
	算术平均值	33.0	1.78	1.34	1.038	86	2.73	44.0	25.5	18.4			
	小值平均值	—	1.76	1.33	—	—	—	—	—	—			

续表 4-1-3

岩性	数值类型	压缩		三轴(uu)		三轴(cu)				渗透系数 (cm/s)
		压缩系数 (MPa⁻¹)	压缩模量 (MPa)	凝聚力 (kPa)	摩擦角 (°)	凝聚力 (kPa)	摩擦角 (°)	有效凝聚力 (kPa)	有效摩擦角 (°)	
粉砂	组数	2	2	1	1	1	1	1	1	3
	最大值	0.402	8.687	—	—	—	—	—	—	1.3×10^{-3}
	最小值	0.233	5.307	—	—	—	—	—	—	7.8×10^{-4}
	算术平均值	0.318	6.997	0.0	36.1	16.0	26.9	11.0	31.4	1.1×10^{-3}
	小值平均值	—	—	—	—	—	—	—	—	—
粉土	组数	2	2	1	1	—	—	—	—	2
	最大值	0.2	11.3	—	—	—	—	—	—	6.8×10^{-4}
	最小值	0.2	8.3	—	—	—	—	—	—	2.1×10^{-4}
	算术平均值	0.2	9.8	22.0	3.9	—	—	—	—	4.5×10^{-4}
	小值平均值	—	—	—	—	—	—	—	—	—
粉质砂壤土	组数	1	1	4	4	—	—	—	—	1
	最大值	—	—	47	12.0	—	—	—	—	—
	最小值	—	—	6	3.2	—	—	—	—	—
	算术平均值	0.193	9.639	18	7.4	—	—	—	—	4.9×10^{-5}
	小值平均值	—	—	8	4.2	—	—	—	—	—
粉质壤土	组数	8	8	7	7	—	—	—	—	4
	最大值	0.485	11.334	39	22.7	—	—	—	—	7.4×10^{-4}
	最小值	0.150	3.896	4	1.3	—	—	—	—	4.6×10^{-6}
	算术平均值	0.323	6.090	17	8.0	—	—	—	—	2.4×10^{-4}
	小值平均值	—	—	5.6	1.875	—	—	—	—	—
粉质黏土	组数	3	3	3	3	—	—	—	—	1
	最大值	0.697	4.720	50.00	6.30	—	—	—	—	—
	最小值	0.437	2.851	17.00	1.30	—	—	—	—	—
	算术平均值	0.546	3.862	36.33	3.73	—	—	—	—	9.0×10^{-6}
	小值平均值	—	—	17	2.45	—	—	—	—	—

堤基工程地质:堤基土承载力完全可满足上部堤身附加荷载的要求。堤基土体具中等压缩性,在高度小于7.5m的堤身荷载作用下不会产生较大的沉降量。

由于堤基土体以粉质壤土为主,厚度大且连续分布,粉土或砂性土多呈夹层,堤基土体较均一,堤基土体物理力学性质指标建议值见表4-1-4。

表4-1-4 堤基土体物理力学性质指标建议值

| 土质类型 | 密度 | | 抗剪强度 | | 压缩模量 | 渗透系数 |
	干(g/cm^3)	湿(g/cm^3)	C(kPa)	Φ(°)	E_{sl-2}(MPa)	K(cm/s)
粉质黏土	1.34	1.78	0	10	4	9.0×10^{-6}
粉质壤土	1.52	1.77	5	15	5	2.4×10^{-4}
粉质砂壤土	1.47	1.64	2	16	8	4.9×10^{-5}
粉土	1.44	1.59	—	—	8	4.5×10^{-4}
粉砂	1.43	1.59	—	—	6	1.1×10^{-3}

建议堤基土在饱水状态下的抗剪强度综合指标为 $C = 5kPa$、$\Phi = 18°$。堤基土渗透破坏型式以流土为主,建议土体渗透允许坡降为 $I_允 = 0.20 \sim 0.37$。

(三)桩号 79 + 700—98 + 600

本段地面高程30.4~28.2m,地势平坦,局部由于取土或堆土形成洼地或高地。钻孔揭露深度范围内均为第四系全新统冲积松散堆积物,主要有粉质壤土、粉质砂壤土、粉质黏土(粉土及粉砂)等。在剖面上,粉质壤土占60%左右,厚度大且分布稳定,是主要的堤基土类型;粉质砂壤土次之,占15%~20%,但连续性差,多呈透镜体状分布,厚度变化亦较大;粉质黏土占20%左右,在下部土层中分布较连续。现就堤基土地质特征简述如下:

(1)粉质壤土。黄绿色、褐色及褐黄色,干、稍湿或湿,硬、硬塑或可塑,质地不均匀,夹有黏土团粒、团块或薄层,具中等压缩性。

(2)粉质砂壤土。黄绿色,干、稍湿或湿,松散、稍密或中密,质地较均匀,层理较明显,夹有壤土或黏土团块及薄层,具中等压缩性和弱透水性。

(3)粉质黏土。褐红色、棕红色及褐黄色,湿—硬塑或可塑,质地均匀、细腻,具中等压缩性和极微透水性。

(4)粉土。黄绿色、灰黄色,稍湿或湿,质地均匀,具中等压缩性和中等透水性。

堤基土体物理力学试验成果见表4-1-5。

堤基工程地质:堤基土承载力完全可满足上部堤身土体附加荷载的要求。堤基土体具中等压缩性,在高度小于8m的堤身荷载作用下不会产生较大的沉降量。

表 4-1-5

堤基土物理力学性质试验成果统计表

岩性	数值类型	天然基本物理指标						物理指标			颗粒分析		
		含水量 (%)	湿密度 (g/cm³)	干密度 (g/cm³)	孔隙比	饱和度 (%)	比重	液限 (%)	塑限 (%)	塑性指数	砂粒 (%)	粉粒 (%)	黏粒 (%)
粉土	组数	2	2	2	2	2	2	—	—	—	2	2	2
	最大值	8.0	1.44	1.39	1.034	21	2.71	—	—	—	78.7	62.6	2.3
	最小值	3.8	1.44	1.33	0.921	11	2.67	—	—	—	35.1	19.6	1.7
	算术平均值	5.9	1.44	1.36	0.978	16	2.69	—	—	—	56.9	41.1	2.0
	小值平均值	—	1.44	1.33	—	—	—	—	—	—	—	—	—
粉质砂壤土	组数	4	4	4	4	4	4	2	2	2	4	4	4
	最大值	18.3	1.91	1.62	0.854	73	2.72	29.7	19.0	11.0	46.4	77.0	9.9
	最小值	6.3	1.57	1.46	0.683	21	2.70	25.5	18.7	6.5	13.7	47.2	5.2
	算术平均值	10.2	1.68	1.53	0.778	37	2.71	27.6	18.9	8.8	35.0	57.4	7.7
	小值平均值	—	1.61	1.48	—	—	—	—	—	—	—	—	—
粉质壤土	组数	9	9	9	9	9	9	5	5	5	8	8	8
	最大值	24.1	1.90	1.67	0.955	75	2.71	30.1	19.7	10.9	36.5	68.0	21.5
	最小值	7.4	1.52	1.39	0.612	23	2.69	26.0	16.8	8.6	14.1	51.1	11.4
	算术平均值	12.9	1.72	1.52	0.782	46	2.70	27.9	18.3	9.6	21.2	64.2	14.6
	小值平均值	—	1.58	1.43	—	—	—	—	—	—	—	—	—
粉质黏土	组数	1	1	1	1	1	2	2	2	2	2	2	2
	最大值	—	—	—	—	—	2.76	42.3	25.2	17.1	20.5	46.8	41.6
	最小值	—	—	—	—	—	2.71	31.6	18.3	13.3	11.6	42.8	36.7
	算术平均值	15.2	1.80	1.56	0.770	55	2.74	37.0	21.8	15.2	16.1	44.8	39.2
	小值平均值	—	—	—	—	—	—	—	—	—	—	—	—

岩性	数值类型	力学性质									渗透系数 (cm/s)
		压缩		三轴(uu)		凝聚力 (kPa)	摩擦角 (°)	三轴(cu)			
		压缩系数 (MPa⁻¹)	压缩模量 (MPa)	凝聚力 (kPa)	摩擦角 (°)			有效凝聚力 (kPa)	有效摩擦角 (°)		
粉砂	组数	2	2	1	1	—	—	—	—	2
	最大值	0.3	9.6	—	—	—	—	—	—	1.2×10⁻³
	最小值	0.2	7.7	—	—	—	—	—	—	2.9×10⁻⁴
	算术平均值	0.236	8.664	8	23.9	—	—	—	—	7.5×10⁻⁴
	小值平均值	—	—	—	—	—	—	—	—	—
粉土	组数	1	1	—	—	—	—	—	—	1
	最大值	—	—	—	—	—	—	—	—	—
	最小值	—	—	—	—	—	—	—	—	—
	算术平均值	0.398	4.623	—	—	—	—	—	—	8.2×10⁻⁵
	小值平均值	—	—	—	—	—	—	—	—	—
粉质砂壤土	组数	1	1	—	—	—	—	—	—	—
	最大值	—	—	—	—	—	—	—	—	—
	最小值	—	—	—	—	—	—	—	—	—
	算术平均值	0.395	4.709	—	—	—	—	—	—	—
	小值平均值	—	—	—	—	—	—	—	—	—
粉质黏土	组数	1	1	1	1	—	—	—	—	1
	最大值	—	—	—	—	—	—	—	—	—
	最小值	—	—	—	—	—	—	—	—	—
	算术平均值	0.302	5.933	33	3.9	—	—	—	—	2.0×10⁻⁷
	小值平均值	—	—	—	—	—	—	—	—	—

由于堤基土以粉质壤土为主,厚度大且连续分布,粉土或砂性土多呈夹层堤基土体较均一。堤基土体物理力学性质指标建议值见表4-1-6。

表4-1-6　　　　　　　　　堤基土体物理力学性质指标建议值

土质类型	密度		抗剪强度		压缩模量	渗透系数
	干(g/cm³)	湿(g/cm³)	C(kPa)	Φ(°)	E_{s1-2}(MPa)	K(cm/s)
粉质黏土	1.56	1.80	30	10	4	2.0×10^{-7}
粉质壤土	1.52	1.72	10	16	5	—
粉质砂壤土	1.53	1.68	—	—	4	8.2×10^{-5}
粉土	1.36	1.44	—	—	8	7.5×10^{-4}

建议堤基土在饱水状态下的抗剪强度综合指标为 $C = 20$kPa、$\Phi = 18°$。堤基土渗透破坏型式以流土为主,建议土体渗透允许坡降为 $I_允 = 0.20 \sim 0.32$。

(四)桩号 98 + 600—162 + 000

本段地面高程28.2~22.2m,地势平坦,局部由于取土或堆土形成洼地或高地。钻孔揭露深度范围内均为第四系全新统冲积松散堆积物,主要有粉质壤土、粉质砂壤土、粉质黏土、粉土及粉砂等。在剖面上,粉质壤土占65%左右,厚度大且分布稳定,粉质黏土占15%~20%,厚度变化大但有一定连续性,尤其在下部土层中连续性相对较好;粉质砂壤土占15%左右,在上部土层中多呈透镜体状断续分布,厚度0.5~5.0m,现就堤基土地质特征简述如下:

(1)粉质壤土。黄绿色、褐色及褐黄色,干、稍湿或湿,坚硬、硬塑或可塑,质地不均匀,夹有黏土团粒、团块或薄层,具中等压缩性和弱透水性。

(2)粉质砂壤土。黄绿色,干、稍湿或湿,松散、稍密或中密,质地较均匀,层理较明显,夹有壤土或黏土团块及薄夹层,具中等压缩性和中等到弱透水性。

(3)粉质黏土。褐红色、棕红色及褐黄色,湿、硬塑或可塑,质地均匀、细腻。

(4)粉土。黄绿色、灰黄色,稍湿或湿,质地均匀,具弱透水性。

(5)粉细砂。黄绿色,稍湿、湿或很湿,稍密或中密,质地均匀,具中等压缩性和中等透水性。

堤基土体物理力学试验成果见表4-1-7。

堤基工程地质:堤基土承载力完全可满足上部堤身土体附加荷载的要求。堤基土体具中等压缩性,在高度小于7m的堤身荷载作用下不会产生较大的沉降量。

由于堤基土以粉质壤土为主,厚度大且连续分布,粉土或砂性土多呈夹层,堤基土体均一,对土体饱水状态时的稳定性进行复核,堤基土体物理力学性质指标建议值见表4-1-8。

表 4 - 1 - 7

堤基土物理力学性质试验成果统计表

岩性	数值类型	天然基本物理指标						物理指标			颗粒分析		
		含水量(%)	湿密度(g/cm³)	干密度(g/cm³)	孔隙比	饱和度(%)	比重	液限(%)	塑限(%)	塑性指数	砂粒(%)	粉粒(%)	黏粒(%)
粉砂	组数	7	7	7	7	7	7	—	—	—	8	8	8
	最大值	29.4	1.89	1.46	0.925	94	2.70	—	—	—	98.5	44.5	2.8
	最小值	3.4	1.44	1.39	0.826	10	2.65	—	—	—	54.3	165	0.0
	算术平均值	9.5	1.55	1.42	0.890	29	2.68	—	—	—	72.3	26.1	1.6
	小值平均值	—	1.48	1.40	—	—	—	—	—	—	—	—	—
粉土	组数	6	6	6	6	6	6	—	—	—	6	6	6
	最大值	27.8	1.96	1655	0.980	96	2.70	—	—	—	38.2	84.9	3.0
	最小值	4.1	1.44	1.36	0.736	12	2.69	—	—	—	12.6	60.1	1.7
	算术平均值	15.0	1.63	1.42	0.906	47	2.70	—	—	—	23.6	73.9	2.5
	小值平均值	—	1.51	1.38	—	—	—	—	—	—	—	—	—
粉质砂壤土	组数	31	31	31	31	31	31	17	17	17	33	33	33
	最大值	28.5	2.00	1.64	0.984	95	2.72	33.9	22.4	14.1	67.9	84.3	9.9
	最小值	4.9	1.43	1.35	0.624	16	2.67	23.5	17.9	4.8	9.5	26.9	3.0
	算术平均值	15.4	1.72	1.49	0.812	53	2.69	28.2	19.8	8.4	25.5	67.7	6.8
	小值平均值	—	1.57	1.42	—	—	—	—	—	—	—	—	—
粉质壤土	组数	59	58	58	58	58	60	42	42	41	55	55	55
	最大值	37.8	1.98	1.68	1.099	100	2.74	40.4	24.3	16.1	37.9	79.9	29.8
	最小值	5.3	1.38	1.29	0.596	15	2.68	24.1	16.2	6.6	5.4	49.5	10.8
	算术平均值	16.0	1.73	1.49	0.815	53	2.70	28.8	19.1	9.8	19.0	64.6	16.4
	小值平均值	—	1.58	1.43	—	—	—	—	—	—	—	—	—
粉质黏土	组数	7	7	7	7	7	7	7	7	7	2	2	2
	最大值	36.5	1.96	1.57	1.052	98	2.74	44.3	24.0	20.5	8.9	56.5	39.8
	最小值	21.3	1.77	1.33	0.728	67	2.71	31.1	18.8	12.3	8.0	51.3	35.5
	算术平均值	28.9	1.86	1.45	0.885	89	2.72	40.5	22.5	18.0	8.5	53.9	37.7
	小值平均值	—	1.82	1.40	—	—	—	—	—	—	—	—	—

力学性质

岩性	数值类型	压缩系数 (MPa^{-1})	压缩模量 (MPa)	三轴(uu) 凝聚力 (kPa)	三轴(uu) 摩擦角 (°)	三轴(cu) 凝聚力 (kPa)	三轴(cu) 摩擦角 (°)	三轴(cu) 有效凝聚力 (kPa)	三轴(cu) 有效摩擦角 (°)	渗透系数 (cm/s)	化学 易溶盐 (%)	化学 有机质 (%)
粉砂	组数	2	2	1	1	—	—	—	—	4	—	—
	最大值	0.373	11.828	—	—	—	—	—	—	6.7×10^{-3}	—	—
	最小值	0.166	4.930	—	—	—	—	—	—	3.5×10^{-4}	—	—
	算术平均值	0.270	8.379	4.0	5.8	—	—	—	—	2.1×10^{-3}	—	—
	小值平均值	—	—	—	—	—	—	—	—	—	—	—
粉土	组数	—	—	1	1	—	—	—	—	1	—	—
	最大值	—	—	6.0	16.7	—	—	—	—	7.8×10^{-5}	—	—
	最小值	—	—	6.0	16.7	—	—	—	—	7.8×10^{-5}	—	—
	算术平均值	—	—	6.0	16.7	—	—	—	—	7.8×10^{-5}	—	—
	小值平均值	—	—	—	—	—	—	—	—	—	—	—
粉质砂壤土	组数	12	12	2	2	—	—	—	—	8	—	—
	最大值	0.554	14.628	165	4.1	—	—	—	—	4.1×10^{-4}	—	—
	最小值	0.128	3.882	29	3.0	—	—	—	—	1.7×10^{-5}	—	—
	算术平均值	0.269	8.557	97	3.6	—	—	—	—	1.4×10^{-4}	—	—
	小值平均值	—	—	—	—	—	—	—	—	—	—	—
粉质壤土	组数	15	15	8	8	1	1	1	1	12	2	2
	最大值	0.590	15.559	95	13.5	—	—	—	—	9.3×10^{-5}	0.09	0.68
	最小值	0.110	3.493	3	1.2	—	—	—	—	4.3×10^{-6}	0.06	0.51
	算术平均值	0.313	7.080	32	8.1	21	29.9	24	32.9	4.7×10^{-5}	0.08	0.60
	小值平均值	—	—	14	3.4	—	—	—	—	—	—	—
粉质黏土	组数	—	—	1	1	—	—	—	—	—	—	—
	最大值	—	—	14	3.4	—	—	—	—	—	—	—
	最小值	—	—	14	3.4	—	—	—	—	—	—	—
	算术平均值	—	—	32	4.3	—	—	—	—	—	—	—
	小值平均值	—	—	14	3.4	—	—	—	—	—	—	—

表 4-1-8   堤基土体物理力学性质指标建议值

土质类型	密度		抗剪强度		压缩模量	渗透系数
	干 (g/cm³)	湿 (g/cm³)	C (kPa)	Φ (°)	E_{sl-2} (MPa)	K (cm/s)
粉质黏土	1.45	1.86	30	10	—	—
粉质壤土	1.49	1.73	20	15	7	4.7×10^{-5}
粉质砂壤土	1.49	1.72	—	—	8	1.4×10^{-4}
粉土	1.42	1.63	—	—	—	7.8×10^{-5}
粉砂	1.42	1.55	—	—	8	2.1×10^{-3}

建议堤基土在饱水状态下的抗剪强度综合指标为 $C = 20\text{kPa}$、$\Phi = 18°$。堤基土渗透破坏型式以流土为主,建议土体渗透允许坡降为 $I_{允} = 0.20 \sim 0.32$。

二、右　岸

(一)桩号 0+000—30+300

本段地面高程 40.3~35.7m,地势平坦,局部由于取土或堆土形成洼地或高地。钻孔揭露深度范围内均为第四系全新统冲积松散堆积物,主要有粉质壤土、粉质砂壤土、粉质黏土、粉土及粉砂。在剖面上,粉质壤土占 45%~50%,厚度大且分布较稳定,但夹层较多,是主要的堤基土类型;粉质砂壤土次之,占 30% 左右,主要分布在下部土层中,上部多呈透镜体;粉质黏土、粉土及粉砂各占 5%~10%,均呈断续状分布。现就堤基土地质特征简述如下:

(1)粉质壤土。黄绿色、褐色及褐黄色,干、稍湿或湿,坚硬、硬塑或可塑,质地不均匀,夹有黏土团粒、团块或薄层,具中等压缩性和中等透水性。

(2)粉质砂壤土。黄绿色,干、稍湿或湿,松散、稍密或中密,质地较均匀,层理较明显,夹有壤土或黏土团块及薄夹层,具中等压缩性和中等透水性。

(3)粉质黏土。褐红色、棕红色及褐黄色,湿、硬塑或可塑,质地均匀。

(4)粉土。黄绿色、灰黄色,稍湿或湿,质地均匀。

(5)粉细砂。黄绿色,稍湿到很湿,稍密或中密,质地均匀,具中等压缩性和中等透水性。

堤基土体物理力学试验成果见表 4-1-9。

堤基工程地质:堤基土承载力完全可满足上部堤身土体附加荷载的要求。堤基土体具中等或中等偏低压缩性土,在高度小于 6.5m 的堤身荷载作用下不会产生较大的沉降量。

堤基土以粉质壤土为主,厚度大且连续分布,粉土或砂性土多呈夹层,且夹层中含有黏性土团块。堤基土体物理力学性质指标建议值见表 4-1-10。

表 4－1－9 堤基土物理力学性质试验成果统计表

岩性	数值类型	天然基本物理指标						物理指标			颗粒分析		
		含水量(%)	湿密度(g/cm³)	干密度(g/cm³)	孔隙比	饱和度(%)	比重	液限(%)	塑限(%)	塑性指数	砂粒(%)	粉粒(%)	黏粒(%)
粉砂	组数	7	7	7	7	7	7	—	—	—	7	7	7
	最大值	11.3	1.65	1.50	1.046	35	2.71	—	—	—	94.6	47.2	2.9
	最小值	3.5	1.35	1.30	0.772	10	2.65	—	—	—	50.1	5.4	0.0
	算术平均值	6.8	1.50	1.40	0.914	20	2.68	—	—	—	73.7	25.1	1.2
	小值平均值	—	1.42	1.34	—	—	—	—	—	—	—	—	—
粉土	组数	4	4	4	4	4	4	—	—	—	4	4	4
	最大值	19.3	1.70	1.45	0.933	58	2.71	—	—	—	47.0	82.6	2.6
	最小值	4.4	1.45	1.39	0.862	13	2.68	—	—	—	17.3	50.9	0.1
	算术平均值	11.2	1.59	1.43	0.887	34	2.69	—	—	—	31.5	66.8	1.7
	小值平均值	—	1.49	1.41	—	—	—	—	—	—	—	—	—
粉质砂壤土	组数	12	12	12	12	12	12	5	5	5	13	13	13
	最大值	17.1	1.91	1.63	1.022	72	2.71	30.4	24.2	9.0	65.4	84.6	9.5
	最小值	5.9	1.43	1.32	0.640	17	2.68	24.5	17.2	6.0	9.8	29.6	3.2
	算术平均值	10.3	1.58	1.44	0.886	33	2.70	27.6	20.3	7.3	29.9	64.0	6.1
	小值平均值	—	1.46	1.37	—	—	—	—	—	—	—	—	—
粉质壤土	组数	20	20	20	20	20	20	13	13	13	17	17	17
	最大值	24.3	1.99	1.64	0.956	96	2.74	32.2	22.8	13.1	48.5	74.0	27.7
	最小值	5.7	1.50	1.38	0.635	18	2.68	23.8	16.5	2.4	12.1	39.4	10.3
	算术平均值	13.6	1.70	1.49	0.813	46	2.70	27.3	18.7	8.5	27.7	56.5	15.8
	小值平均值	—	1.56	1.44	—	—	—	—	—	—	—	—	—
粉质黏土	组数	2	2	2	2	2	2	2	2	2	2	2	2
	最大值	32.8	1.97	1.53	0.940	100	2.73	42.8	24.9	17.9	10.8	47.7	45.5
	最小值	28.9	1.95	1.40	0.782	95	2.71	37.5	22.1	15.4	8.8	45.7	41.5
	算术平均值	30.9	1.96	1.47	0.861	98	2.72	40.2	23.5	16.7	9.8	46.7	43.5
	小值平均值	—	1.95	1.40	—	—	—	—	—	—	—	—	—

续表 4-1-9

岩性	数值类型	力学性质									化学	
		压缩		三轴(uu)		三轴(cu)				渗透系数	易溶盐	有机质
		压缩系数 (MPa^{-1})	压缩模量 (MPa)	凝聚力 (kPa)	摩擦角 (°)	凝聚力 (kPa)	摩擦角 (°)	有效凝聚力 (kPa)	有效摩擦角 (°)	(cm/s)	(%)	(%)
粉砂	组数	1	1	1	1	1	1	1	1	1	—	—
	最大值	—	—	—	—	—	—	—	—	—	—	—
	最小值	—	—	—	—	—	—	—	—	—	—	—
	算术平均值	0.103	17.476	2.0	20.3	0.0	33.5	0.0	35.8	2.5×10^{-3}	—	—
	小值平均值	—	—	—	—	—	—	—	—	—	—	—
粉土	组数	—	—	—	—	—	—	—	—	—	—	—
	最大值	—	—	—	—	—	—	—	—	—	—	—
	最小值	—	—	—	—	—	—	—	—	—	—	—
	算术平均值	—	—	—	—	—	—	—	—	—	—	—
	小值平均值	—	—	—	—	—	—	—	—	—	—	—
粉质砂壤土	组数	5	4	5	5	1	1	1	1	4	4	4
	最大值	0.504	8.946	9	28.4	—	—	—	—	3.7×10^{-4}	0.04	0.35
	最小值	0.201	4.982	1	1.1	—	—	—	—	2.2×10^{-5}	0.03	0.19
	算术平均值	0.346	6.498	5	10.4	143	25.6	131.0	26.0	1.5×10^{-4}	0.03	0.26
	小值平均值	—	—	—	—	—	—	—	—	—	—	—
粉质壤土	组数	8	8	2	2	2	2	2	2	6	2	2
	最大值	0.854	12.044	33	9.6	39	25.0	28	32.6	1.1×10^{-3}	0.04	0.32
	最小值	0.155	2.119	16	1.2	5	17.4	3	24.7	1.6×10^{-5}	0.03	0.09
	算术平均值	0.389	6.214	25	5.4	22	21.2	16	28.7	3.1×10^{-4}	0.04	0.21
	小值平均值	—	—	16	1.2	5	17.4	3	24.7	—	—	—
粉质黏土	组数	—	—	—	—	—	—	—	—	—	—	—
	最大值	—	—	—	—	—	—	—	—	—	—	—
	最小值	—	—	—	—	—	—	—	—	—	—	—
	算术平均值	—	—	—	—	—	—	—	—	—	—	—
	小值平均值	—	—	—	—	—	—	—	—	—	—	—

表 4 - 1 - 10   堤基土体物理力学性质指标建议值

土质类型	密度		抗剪强度		压缩模量	渗透系数
	干(g/cm³)	湿(g/cm³)	C(kPa)	Φ(°)	E_{s1-2}(MPa)	K(cm/s)
粉质黏土	1.47	1.96	—	—	—	—
粉质壤土	1.49	1.70	5	17	5	3.1×10^{-4}
粉质砂壤土	1.44	1.58	3	20	5	1.6×10^{-4}
粉土	1.43	1.59	—	—	—	—
粉砂	1.40	1.50	0	26	16	2.5×10^{-3}

建议堤基土在饱和状态下的抗剪强度综合指标为 $C=15$kPa、$\Phi=17°$。堤基土渗透破坏型式以流土为主,建议土体渗透允许坡降为 $I_{允}=0.23 \sim 0.33$。

(二)桩号 30+300—74+500

本段地面高程 35.7~29.6m,地势平坦,局部由于取土或堆土形成洼地或高地。钻孔揭露深度范围内均为第四系全新统冲积松散堆积物,主要有粉质壤土、粉质砂壤土夹粉质黏土、粉土及粉砂等。在剖面上,粉质壤土占 65% 左右,厚度大且分布稳定,是主要的堤基土类型;粉质砂壤土占 18% 左右,在局部段(桩号 30+300—35+000、40+000—45+000)有一定的连续性;粉质黏土占 10%~15%,在下部土层中有一定连续性;粉土及粉砂占 5% 左右,均呈透镜体状分布。现就堤基土地质特征简述如下:

(1)粉质壤土。黄绿色、褐色及褐黄色,干、稍湿或湿,坚硬、硬塑或可塑,质地不均匀,夹有黏土团粒、团块或薄层,具中等压缩性和弱透水性。

(2)粉质砂壤土。黄绿色,干、稍湿或湿,松散、稍密或中密,质地较均匀,层理较明显,夹有壤土或黏土团块及薄夹层,具中等压缩性和中等透水性。

(3)粉质黏土。褐红色、棕红色及褐黄色,湿,硬塑或可塑,质地均匀、细腻。

(4)粉土。黄绿色、灰黄色,稍湿或湿,土质均匀,具中等压缩性。

(5)粉细砂。黄绿色,稍湿、湿或很湿,稍密或中密,质地均匀,具中等压缩性和中等透水性。

堤基土体物理力学试验成果见表 4 - 1 - 11。

堤基工程地质:堤基土承载力完全可满足上部堤身附加荷载的要求。堤基土体具中等压缩性,在高度小于 7.5m 的堤身荷载作用下不会产生较大的沉降量。

堤基土以粉质壤土为主,厚度大且连续分布,粉土或砂性土多呈夹层,堤基土体物理力学性质指标建议值见表 4 - 1 - 12。

表 4－1－11

堤基土物理力学性质试验成果统计表

岩性	数值类型	天然基本物理指标						物理指标			颗粒分析		
		含水量 (%)	湿密度 (g/cm³)	干密度 (g/cm³)	孔隙比	饱和度 (%)	比重	液限 (%)	塑限 (%)	塑性指数	砂粒 (%)	粉粒 (%)	黏粒 (%)
粉砂	组数	10	10	10	10	10	10	2	2	2	10	10	10
	最大值	20.0	1.91	1.59	1.020	79	2.69	30.3	27.8	3.3	90.2	44.0	2.8
	最小值	2.9	1.39	1.32	0.674	8	2.66	24.3	21.0	2.5	55.7	7.3	0.0
	算术平均值	8.2	1.60	1.48	0.820	28	2.68	27.3	24.4	2.9	72.9	25.8	1.3
	小值平均值	—	1.51	—	1.38	—	—	—	—	—	—	—	—
粉土	组数	5	5	5	5	5	2	2	2	5	5	5	5
	最大值	33.6	1.91	1.48	1.078	100	2.71	31.9	22.4	11.6	44.1	86.0	2.6
	最小值	8.3	1.43	1.29	0.835	26	2.68	29.5	20.3	7.1	11.4	55.6	0.3
	算术平均值	20.1	1.71	1.42	0.901	61	2.69	30.7	21.4	9.4	26.4	71.8	1.8
	小值平均值	—	1.58	1.29	—	—	—	—	—	—	—	—	—
粉质砂壤土	组数	16	16	16	16	16	16	7	7	7	17	17	17
	最大值	29.0	2.03	1.68	1.076	100	2.71	30.1	22.8	11.1	89.1	89.2	9.9
	最小值	4.1	1.45	1.31	0.604	12	2.67	25.3	17.9	5.5	5.6	7.0	3.1
	算术平均值	16.1	1.73	1.48	0.823	55	2.69	28.1	19.6	8.5	31.1	62.8	6.1
	小值平均值	—	1.58	1.42	—	—	—	—	—	—	—	—	—
粉质壤土	组数	32	32	32	31	31	31	21	21	21	28	28	28
	最大值	39.0	1.95	1.68	1.131	100	2.72	38.7	23.1	16.4	42.3	77.5	29.2
	最小值	4.8	1.49	1.27	0.601	15	2.68	24.0	15.2	6.3	8.6	42.1	10.2
	算术平均值	14.7	1.70	1.49	0.823	49	2.70	29.1	18.6	10.5	19.1	63.7	17.2
	小值平均值	—	1.60	1.40	—	—	—	—	—	—	—	—	—
粉质黏土	组数	1	1	1	1	1	1	1	1	1	—	—	—
	数值	33.2	1.79	1.35	1.015	89	2.72	47.7	26.1	21.6	—	—	—

续表 4－1－11

岩性	数值类型	力学性质									渗透系数 (cm/s)	化学	
		压缩		三轴(uu)		三轴(cu)						易溶盐 (%)	有机质 (%)
		压缩系数 (MPa^{-1})	压缩模量 (MPa)	凝聚力 (kPa)	摩擦角 (°)	凝聚力 (kPa)	摩擦角 (°)	有效凝聚力 (kPa)	有效摩擦角 (°)				
粉砂	组数	6	6	2	2	—	—	—	—	7	1	1
	最大值	0.271	13.201	11.0	26.4	—	—	—	—	6.6×10^{-4}	—	—
	最小值	0.129	6.685	3.0	2.8	—	—	—	—	9.9×10^{-5}	—	—
	算术平均值	0.185	10.480	7.0	14.6	—	—	—	—	4.5×10^{-4}	0.03	0.32
	小值平均值	—	—	—	—	—	—	—	—	—	—	—
粉土	组数	1	1	—	—	—	—	—	—	—	1	1
	最大值	—	—	—	—	—	—	—	—	—	—	—
	最小值	—	—	—	—	—	—	—	—	—	—	—
	算术平均值	0.2	8.8	—	—	—	—	—	—	—	0.0	0.2
	小值平均值	—	—	—	—	—	—	—	—	—	—	—
粉质砂壤土	组数	5	5	2	2	4	4	4	4	4	3	3
	最大值	0.191	15.469	7	25.5	91	36.9	60.0	39.0	8.3×10^{-4}	0.08	0.35
	最小值	0.104	9.239	5	10.6	16	23.2	10.5	27.8	2.7×10^{-5}	0.04	0.24
	算术平均值	0.162	11.500	6	18.1	46	30.4	27.6	34.3	2.4×10^{-4}	0.05	0.30
	小值平均值	—	—	5	10.6	18.5	26.4	10.8	30.7	—	—	—
粉质壤土	组数	13	13	5	5	2	2	2	2	11	1	1
	最大值	0.502	13.452	60	9.2	13	30.7	9	32.9	1.7×10^{-4}	—	—
	最小值	0.128	1.108	9	1.3	5	28.8	6	32.4	4.1×10^{-7}	—	—
	算术平均值	0.315	6.446	37	3.3	9	29.8	8	32.7	6.4×10^{-5}	0.10	0.37
	小值平均值	—	—	15	1.8	5	28.8	6	32.4	—	—	—
粉质黏土	组数	—	—	—	—	—	—	—	—	—	—	—
	数值值	—	—	—	—	—	—	—	—	—	—	—

表 4 - 1 - 12   堤基土体物理力学性质指标建议值

土质类型	密度		抗剪强度		压缩模量 E_{s1-2}(MPa)	渗透系数 K(cm/s)
	干(g/cm³)	湿(g/cm³)	C(kPa)	Φ(°)		
粉质黏土	1.35	1.79	—	—	—	—
粉质壤土	1.49	1.70	6	18	5	6.4×10^{-5}
粉质砂壤土	1.48	1.73	5	20	10	2.4×10^{-4}
粉土	1.42	1.71	—	—	8	
粉砂	1.48	1.60	0	26	9	4.5×10^{-4}

建议堤基土在饱和状态下的抗剪强度综合指标为 $C = 25$kPa、$\Phi = 18°$。堤基土渗透破坏型式以流土为主,建议土体渗透允许坡降为 $I_允 = 0.17 \sim 0.28$。

(三)桩号 74 + 500—95 + 100

本段地面高程 29.6 ~ 27.7m,地势平坦,局部由于取土或堆土形成洼地或高地。钻孔揭露深度范围内均为第四系全新统冲积松散堆积物,主要有粉质壤土、粉质砂壤土夹粉质黏土及粉砂等。在剖面上,粉质壤土约占 70%,厚度大且分布稳定,是主要的堤基土类型;粉质砂壤土占 10% ~ 15%,于局部地段呈透镜体状分布;粉质黏土占 10% 左右,呈透镜体状且主要分布在下部土层中;粉砂占 3% 左右,仅局部堤段有分布。现就堤基土地质特征简述如下:

(1)粉质壤土。黄绿色、褐色及褐黄色,干、稍湿或湿,坚硬、硬塑或可塑,质地不均匀,夹有黏土团粒、团块或薄层,具中等压缩性。

(2)粉质砂壤土。黄绿色,干、稍湿或湿,松散、稍密或中密,质地较均匀,层理较明显,夹有壤土或黏土团块及薄夹层,具中等压缩性和弱透水性。

(3)粉质黏土。褐红色、棕红色及褐黄色,湿,硬塑或可塑,质地均匀,具中等压缩性。

(4)粉土。黄绿色、灰黄色,稍湿或湿,质地均匀,具中等近低压缩性和中等到弱透水性。

堤基土体物理力学试验成果见表 4 - 1 - 13。

堤基工程地质:堤基土承载力完全可满足上部堤身土体附加荷载的要求。堤基土体具中等压缩性土层,在高度小于 8m 的堤身土体荷载作用下不会产生较大的沉降量。

堤基土以粉质壤土为主,厚度大且连续分布,粉土或砂性土多呈夹层,地基与体较均一。堤基土体物理力学性质指标建议值见表 4 - 1 - 14。

建议堤基土在天然饱和状态下的抗剪强度综合指标为 $C = 10$kPa、$\Phi = 18°$。堤基土渗透型式以流土为主,建议土体渗透破坏允许坡降为 $I_允 = 0.29 \sim 0.30$。

表 4-1-13

堤基土物理力学性质试验成果统计表

岩性	数值类型	天然基本物理指标						物理指标			颗粒分析		
		含水量 (%)	湿密度 (g/cm³)	干密度 (g/cm³)	孔隙比	饱和度 (%)	比重	液限 (%)	塑限 (%)	塑性指数	砂粒 (%)	粉粒 (%)	黏粒 (%)
粉砂	组数	4	4	4	4	4	4	1	1	1	4	4	4
	最大值	29.3	2.10	1.64	0.831	96	2.70	—	—	—	48.0	93.8	2.6
	最小值	5.1	1.58	1.47	0.644	17	2.69	—	—	—	13.8	51.1	0.8
	算术平均值	20.5	1.86	1.54	0.755	74	2.70	26.1	22.1	4.0	33.3	65.1	1.7
	小值平均值	—	1.58	1.49	—	—	—	—	—	—	—	—	—
粉质砂壤土	组数	5	5	5	5	5	5	2	2	2	5	5	5
	最大值	30.5	2.01	1.62	0.956	100	2.71	34.6	20.5	14.1	32.2	84.6	10.0
	最小值	8.6	1.50	1.38	0.667	24	2.69	29.6	20.2	9.4	5.9	59.5	3.9
	算术平均值	18.5	1.77	1.50	0.182	62	2.70	32.1	20.4	11.8	16.6	75.7	7.6
	小值平均值	—	1.62	1.40	—	—	—	—	—	—	—	—	—
粉质壤土	组数	15	15	15	13	13	13	8	8	8	14	14	14
	最大值	27.3	1.93	1.76	0.949	91	2.72	33.2	21.1	14.3	52.8	78.3	20.2
	最小值	7.0	1.48	1.37	0.534	21	2.68	22.1	16.2	5.9	7.1	32.3	10.5
	算术平均值	14.3	1.75	1.53	0.772	50	2.70	2.70	19.6	9.4	23.8	61.1	15.1
	小值平均值	—	1.60	1.43	—	—	—	—	—	—	—	—	—
粉质黏土	组数	4	4	4	4	4	4	5	5	5	2	2	2
	最大值	39.1	1.85	1.37	1.108	98	2.74	52.8	29.2	23.7	13.6	46.6	52.4
	最小值	33.2	1.78	1.30	1.000	87	2.73	47.5	26.0	21.4	7.5	40.1	39.8
	算术平均值	36.2	1.82	1.34	1.046	95	2.74	50.7	28.2	22.5	10.6	43.4	46.1
	小值平均值	—	1.80	1.30	—	—	—	—	—	—	—	—	—

岩性	数值类型	压缩系数 (MPa^{-1})	压缩模量 (MPa)	三轴(uu) 凝聚力 (kPa)	三轴(uu) 摩擦角 (°)	三轴(cu) 凝聚力 (kPa)	三轴(cu) 摩擦角 (°)	三轴(cu) 有效凝聚力 (kPa)	三轴(cu) 有效摩擦角 (°)	渗透系数 (cm/s)	易溶盐 (%)	有机质 (%)
粉砂	组数	1	1	1	1	—	—	—	—	2	—	—
	最大值	—	—	—	—	—	—	—	—	1.8×10^{-4}	—	—
	最小值	—	—	—	—	—	—	—	—	3.2×10^{-5}	—	—
	算术平均值	0.1	14.8	35.0	26.7	—	—	—	—	1.1×10^{-4}	—	—
	小值平均值	—	—	—	—	—	—	—	—	—	—	—
粉质砂壤土	组数	2	2	2	2	—	—	—	—	2	—	—
	最大值	0.187	18.953	28	32.6	—	—	—	—	5.8×10^{-5}	—	—
	最小值	0.090	9.216	17	3.6	—	—	—	—	3.6×10^{-5}	—	—
	算术平均值	0.139	14.085	23	18.1	—	—	—	—	4.7×10^{-5}	—	—
	小值平均值	—	—	—	—	—	—	—	—	—	—	—
粉质壤土	组数	4	4	1	1	—	—	—	—	2	1	1
	最大值	0.463	7.860	—	—	—	—	—	—	1.7×10^{-4}	—	—
	最小值	0.233	4.207	—	—	—	—	—	—	8.9×10^{-5}	—	—
	算术平均值	0.358	5.428	1	2.7	—	—	—	—	1.3×10^{-4}	0.01	0.35
	小值平均值	—	—	—	—	—	—	—	—	—	—	—
粉质黏土	组数	3	3	2	2	1	1	1	1	—	—	—
	最大值	0.412	7.801	42	6.4	—	—	—	—	—	—	—
	最小值	0.259	4.950	31	2.0	—	—	—	—	—	—	—
	算术平均值	0.332	6.295	37	4.2	14	21.3	11	27.3	—	—	—
	小值平均值	—	—	—	—	—	—	—	—	—	—	—

表 4 - 1 - 14　　　　　　　　　堤基土体物理力学性质指标建议值

土质类型	密度		抗剪强度		压缩模量	渗透系数
	干(g/cm³)	湿(g/cm³)	C(kPa)	Φ(°)	E_{sl-2}(MPa)	K(cm/s)
粉质黏土	1.34	1.82	25	10	5	——
粉质壤土	1.53	1.75	10	16	5	1.3×10^{-4}
粉质砂壤土	1.50	1.77	3	18	12	4.7×10^{-5}
粉土	1.54	1.86	0	26	14	1.1×10^{-4}

(四)桩号 95 + 100—158 + 000

本段地面高程 27.7~22.2m,地势平坦,局部由于取土或堆土形成洼地或高地。钻孔揭露深度范围内均为第四系全新统冲积松散堆积物,主要有粉质壤土、粉质砂壤土、粉质黏土、粉土和粉砂等。在剖面上,粉质壤土占 55%左右,厚度大且分布稳定,是主要的堤基土类型;粉质砂壤土占 20%左右,在局部堤段有一定的连续性;粉质黏土占 15%~20%,分布在下部局部土层中;粉土和粉砂占 5%~10%,主要分布在桩号 135 + 000 以下段下部土层中。现就堤基土地质特征简述如下:

(1)粉质壤土。黄绿色、褐色及褐黄色,干、稍湿或湿,坚硬、硬塑或可塑,质地不均匀,夹有黏土团粒、团块或薄层,具中等压缩性和弱透水性。

(2)粉质砂壤土。黄绿色,干、稍湿或湿,松散、稍密或中密,质地较均匀,层理较明显,夹有壤土或黏土团块及薄夹层,具中等到弱透水性。

(3)粉质黏土。褐红色、棕红色及褐黄色,湿,硬塑或可塑,质地均匀、细腻,具中等压缩性。

(4)粉土。黄绿色、灰黄色,稍湿或湿,质地均匀,具中等压缩性和弱透水性。

(5)粉细砂。黄绿色,稍湿、湿或很湿,稍密或中密,质地均匀,具中等压缩性和中等透水性。

堤基土体物理力学试验成果见表 4 - 1 - 15。

堤基工程地质:堤基土承载力完全可满足上部堤身土体附加荷载的要求。堤基土体具中等压缩性,在高度小于 8m 的堤身土体荷载作用下不会产生较大的沉降量。

堤基土以粉质壤土为主,厚度大且连续分布,粉土或砂性土多呈夹层,堤基土体较均一。堤基土体物理力学性质指标建议值见表 4 - 1 - 16。

建议堤基土在饱和状态下的抗剪强度综合指标为 $C = 10$kPa、$\Phi = 18°$。堤基土渗透破坏型式以流土为主,建议土体渗透允许坡降为 $I_允 = 0.23 ~ 0.33$。

表4-1-15

堤基土物理力学性质试验成果统计表

岩性	数值类型	天然基本物理指标						物理指标			颗粒分析		
		含水量(%)	湿密度(g/cm³)	干密度(g/cm³)	孔隙比	饱和度(%)	比重	液限(%)	塑限(%)	塑性指数	砂粒(%)	粉粒(%)	黏粒(%)
粉砂	组数	5	5	5	5	5	5	1	1	1	6	6	6
	最大值	13.9	1.61	1.55	0.976	39	2.69	—	—	—	78.0	39.8	2.1
	最小值	4.0	1.43	1.36	0.721	15	2.67	—	—	—	58.6	20.5	0.7
	算术平均值	7.9	1.55	1.44	0.874	24	2.68	25.9	24.0	1.9	63.9	34.8	1.3
	小值平均值	—	1.43	1.37	—	—	—	—	—	—	—	—	—
粉土	组数	9	9	9	9	9	9	6	6	6	10	10	10
	最大值	33.8	1.94	1.72	1.330	69	2.71	31.1	25.2	7.8	42.1	85.4	2.8
	最小值	4.8	1.50	1.60	0.574	15	2.67	25.3	20.6	2.9	12.5	57.3	0.5
	算术平均值	13.6	1.67	1.47	0.848	43	2.69	28.2	22.7	5.5	22.2	76.0	1.8
	小值平均值	—	1.56	1.37	—	—	—	—	—	—	—	—	—
粉质砂壤土	组数	28	28	28	28	28	29	11	11	11	30	30	30
	最大值	33.6	1.97	1.61	1.003	98	2.73	34.3	23.0	14.5	60.6	88.3	9.8
	最小值	4.3	1.43	1.34	0.676	12	2.67	24.7	18.1	6.2	6.6	32.8	3.1
	算术平均值	15.1	1.71	1.49	0.821	51	2.70	28.2	19.8	8.3	27.5	65.4	7.1
	小值平均值	—	1.57	1.39	—	—	—	—	—	—	—	—	—
粉质壤土	组数	54	54	54	54	54	54	42	42	42	49	49	49
	最大值	34.4	1.40	1.29	0.595	20	2.67	24.6	15.6	7.5	4.9	44.4	10.0
	最小值	6.0	1.40	1.29	0.595	20	2.67	24.9	15.6	7.5	4.9	44.4	10.0
	算术平均值	16.1	1.75	1.51	0.798	55	2.70	28.8	18.3	10.4	17.0	66.3	16.7
	小值平均值	—	1.63	1.44	—	—	—	—	—	—	—	—	—
粉质黏土	组数	5	5	5	5	5	4	4	4	4	3	3	3
	最大值	52.9	1.83	1.45	1.527	95	2.75	57.1	28.7	28.4	12.2	58.8	36.8
	最小值	15.6	1.60	1.08	0.876	45	2.72	31.7	19.3	12.4	8.2	52.2	31.0
	算术平均值	30.7	1.72	1.33	1.071	76	2.74	44.4	24.7	19.7	10.2	55.3	34.5
	小值平均值	—	1.66	1.08	—	—	—	—	—	—	—	—	—

续表4-2-1-13

岩性	数值类型	压缩 压缩系数 (MPa⁻¹)	压缩 压缩模量 (MPa)	力学性质 三轴(uu) 凝聚力 (kPa)	三轴(uu) 摩擦角 (°)	三轴(cu) 凝聚力 (kPa)	三轴(cu) 摩擦角 (°)	三轴(cu) 有效凝聚力 (kPa)	三轴(cu) 有效摩擦角 (°)	渗透系数 (cm/s)	化学 易溶盐 (%)	化学 有机质 (%)
粉砂	组数	2	2	—	—	—	—	—	—	4	—	—
	最大值	0.152	16.238	—	—	—	—	—	—	5.8×10^{-4}	—	—
	最小值	0.103	12.480	—	—	—	—	—	—	2.8×10^{-4}	—	—
	算术平均值	0.128	14.359	—	—	—	—	—	—	3.9×10^{-4}	—	—
	小值平均值	—	—	—	—	—	—	—	—	—	—	—
粉土	组数	3	3	1	1	1	1	1	1	3	—	—
	最大值	0.2	12.2	—	—	—	—	—	—	2.5×10^{-4}	—	—
	最小值	0.1	8.4	—	—	—	—	—	—	1.1×10^{-5}	—	—
	算术平均值	0.2	10.3	26.0	5.8	41.0	29.6	16.0	34.6	9.9×10^{-5}	—	—
	小值平均值	—	—	—	—	—	—	—	—	—	—	—
粉质砂壤土	组数	—	—	1	1	—	—	—	—	3	—	—
	最大值	—	—	—	—	—	—	—	—	1.7×10^{-4}	—	—
	最小值	—	—	—	—	—	—	—	—	4.5×10^{-5}	—	—
	算术平均值	—	—	0	28.0	—	—	—	—	1.1×10^{-4}	—	—
	小值平均值	—	—	—	—	—	—	—	—	—	—	—
粉质壤土	组数	23	23	13	13	—	—	—	—	13	1	1
	最大值	0.688	13.772	60	10.9	—	—	—	—	5.4×10^{-4}	—	—
	最小值	0.142	2.842	3	1.4	—	—	—	—	1.1×10^{-5}	—	—
	算术平均值	0.319	6.669	25	5.6	—	—	—	—	9.9×10^{-5}	0.01	—
	小值平均值	—	—	11.3	3.2	—	—	—	—	—	—	—
粉质黏土	组数	2	2	1	1	—	—	—	—	—	—	—
	最大值	0.700	7.933	7.00	4.30	—	—	—	—	—	—	—
	最小值	0.250	2.687	7.00	4.30	—	—	—	—	—	—	—
	算术平均值	0.475	5.310	7.00	4.30	—	—	—	—	—	—	0.42
	小值平均值	—	—	—	—	—	—	—	—	—	—	—

表 4 - 1 - 16 　　　　　　　　　　堤基土体物理力学性质指标建议值

土质类型	密度		抗剪强度		压缩模量 $E_{\text{sl}-2}$(MPa)	渗透系数 K(cm/s)
	干(g/cm³)	湿(g/cm³)	C(kPa)	Φ(°)		
粉质黏土	1.33	1.72	—	—	5	—
粉质壤土	1.51	1.75	10	15	6	9.9×10^{-5}
粉质砂壤土	1.49	1.71	5	18	—	1.1×10^{-4}
粉土	1.47	1.67	2	21	9	9.9×10^{-5}
粉砂	1.44	1.55	—	—	12	3.9×10^{-4}

第二章 ×××河堤防工程地质

第一节 堤基工程地质

一、桩号 0+000—14+500

该段两岸堤基础松散堆积物的物质组成基本一致,以壤土、黏土为主,壤土和黏土占45%~50%及35%~40%;砂壤土较少,约占15%。

(1)壤土:棕黄色,褐黄色,稍湿—湿,软塑—硬塑,土质均一,粉粒含量较高。含水量平均值为20.3%,孔隙比平均值为0.897,压缩系数平均值为0.318MPa^{-1},为中等压缩性土;渗透系数平均值为1.22×10^{-4}cm/s,属弱至中等透水性。呈厚层状分布,展布较稳定。

(2)砂壤土:灰黄色,褐黄色,湿,稍密—中密,土质较均一,局部为粉土。含水量平均值为23.8%,孔隙比平均值为0.876,压缩系数平均值为0.16~0.17MPa^{-1},为中等压缩性土。呈层状或透镜体状分布。

(3)黏土:棕黄色,褐红色,湿,可塑—软塑,土质均一,多呈层状分布。

二、桩号 14+500—42+500

该段两岸堤基松散堆积物的物质组成基本一致,壤土较多,占40%~50%;砂壤土次之,占30%~40%;黏土最少,约占20%。

(1)壤土:棕黄色,褐黄色,稍湿—湿,软塑—硬塑,土质均一,粉粒含量较高。含水量平均值为20.0%,孔隙比平均值为0.863,压缩系数平均值为0.259MPa^{-1},为中等压缩性土;渗透系数平均值为1.31×10^{-4}cm/s,为弱至中等透水性。该土层较厚,呈层状分布,多分布在基础中上部。

(2)砂壤土:灰黄色,褐黄色,湿,稍密—中密,土质较均一,局部为粉土;含水量平均值为20.4%,孔隙比平均值为0.842;压缩系数平均值为0.214MPa^{-1},为中等压缩性土;渗透系数平均值为1.60×10^{-4}cm/s,属弱至中等透水性。该土呈层状或透镜体状分布。

(3)黏土:棕黄色,棕红色,湿,可塑—软塑,土质均一。含水量平均值为24.3%,孔隙比平均值为0.995,压缩系数平均值为0.336MPa^{-1},为中等压缩性土。多呈层状分布在基础下部。

设计进行基础稳定复核,可按表4-2-1、表4-2-2选取参数。

表 4-2-1　　　　　　　　　　　　　　　　　　　　　　　　　　　　　堤基土工试验

桩号	土类型	统计	天然基本物理指标					物理指标			
			含水量（%）	湿密度（g/cm³）	干密度（g/cm³）	孔隙比	饱和度（%）	比重	液限（%）	塑限（%）	塑性指数
0+000 — 14+500	黏土	最小值	3.9	1.81	1.41	0.573	18.6	2.69	46.5	26.9	19.6
		最大值	35.4	1.87	1.74	0.927	95.4	2.74			
		组数	3	2	2	2	2	3	1	1	1
		算术平均值	23.9	—	—	—	—	2.72	—	—	—
		平均值	23.9	—	—	—	—	2.72	—	—	—
	壤土	最小值	5.5	1.47	1.26	0.547	15.7	2.68	24.8	14.5	6.2
		最大值	36.3	2.07	1.75	1.155	100.0	2.75	32.4	25.0	15.3
		组数	26	26	26	22	22	22	8	8	8
		算术平均值	20.3	1.82	1.51	0.800	69.3	2.71	29.3	18.8	10.5
		平均值	20.3	1.73	1.44	0.897	69.3	2.71	29.3	18.8	10.5
	砂壤土	最小值	6.0	1.61	1.42	0.639	20.8	2.68	29.1	21.0	8.1
		最大值	30.8	2.07	1.64	0.913	100.0	2.72			
		组数	6	6	6	5	5	5	1	1	1
		算术平均值	23.8	1.85	1.50	0.809	74.1	2.70	—	—	—
		平均值	23.8	1.85	1.44	0.876	74.1	2.70	—	—	—
14+500 — 42+500	黏土	最小值	3.5	1.72	1.32	0.482	20.0	2.70	25.4	16.6	7.5
		最大值	34.6	1.92	1.86	1.083	93.8	2.77	52.4	28.8	23.6
		组数	10	10	10	8	8	8	7	7	7
		算术平均值	24.3	1.84	1.49	0.837	71.4	2.73	39.9	22.6	17.3
		平均值	24.3	1.84	1.37	0.995	71.4	2.73	39.9	22.6	17.3
	壤土	最小值	10.1	1.60	1.29	0.488	33.5	2.69	20.8	14.7	6.1
		最大值	32.4	2.13	1.82	1.075	98.0	2.76	50.6	26.7	23.9
		组数	37	37	37	34	34	34	20	20	20
		算术平均值	20.0	1.85	1.55	0.748	71.5	2.71	30.7	19.3	11.4
		平均值	20.0	1.85	1.44	0.863	71.5	2.71	30.7	19.3	11.4
	砂壤土	最小值	9.2	1.49	1.36	0.513	25.6	2.68	26.2	16.8	5.2
		最大值	30.5	1.97	1.78	0.964	98.8	2.72	31.4	25.0	12.5
		组数	18	18	18	17	17	17	9	9	9
		算术平均值	20.4	1.84	1.53	0.766	74.3	2.70	29.1	21.3	7.8
		平均值	20.4	1.84	1.47	0.842	74.3	2.70	29.1	21.3	7.8

成果统计表

颗粒分析（%）						力学性质				渗透系数
						压缩		三轴（uu）		K_{20}
>0.25 mm	$0.25\sim$ 0.10mm	$0.10\sim$ 0.075mm	$0.075\sim$ 0.05mm	$0.05\sim$ 0.005mm	<0.005 mm	压缩系数 α_{v1-2} （MPa^{-1}）	压缩模量 E_{s1-2} （MPa）	凝聚力 C_u （kPa）	摩擦角 Φ_u （°）	（cm/s）
—	—	—	28.5	65.9	5.6	0.120	4.480	—	—	1.22×10^{-6}
—	—	—				0.430	13.100	—	—	1.82×10^{-4}
—	—	—	1	1	1	2	2	—	—	3
—	—	—				—	—	—	—	6.83×10^{-5}
—	—	—				—	—	—	—	1.82×10^{-4}
—	—	6.4	6.6	58.7	4.6	0.103	2.860	20.0	6.8	1.20×10^{-6}
—	—	8.8	23.4	77.8	34.7	0.650	16.256	60.0	23.0	1.93×10^{-4}
—	—	2	11	6	10	16	16	10	10	8
—	—	—	—	—	—	0.318	7.090	29.4	12.5	4.63×10^{-5}
—	—	—	—	—	—	0.318	7.090	21.4	8.7	1.22×10^{-4}
—	—	5.7	9.9	59.1	0.1	0.160	10.850	10.0	10.0	1.30×10^{-6}
—	—	13.0	29.3	82.4	11.6	0.170	11.600	33.0	25.0	9.80×10^{-6}
—	—	3	4	4	4	2	2	4	4	2
—	—	—	—	—	—	—	—	20.8	15.7	—
—	—	—	—	—	—	—	—	16.7	10.3	—
—	1.2	5.9	4.5	35.7	40.7	0.230	3.940	3.0	1.0	4.40×10^{-5}
—	—	8.4	9.6	44.3	45.3	0.529	7.200	62.0	17.7	
—	1	3	3	3	3	6	6	5	5	1
—	—	—	—	—	—	0.336	6.012	26.8	7.7	—
—	—	—	—	—	—	0.336	6.012	13.7	3.6	—
0.1	4.1	4.2	0.8	36.6	5.2	0.030	3.210	9.0	0.6	4.30×10^{-7}
—	18.5	20.8	39.7	88.7	37.2	0.599	51.800	52.0	27.0	3.10×10^{-4}
1	2	15	22	20	22	18	18	15	15	19
—	—	—	—	—	—	0.259	10.216	24.0	10.4	4.96×10^{-5}
—	—	—	—	—	—	0.259	10.216	16.4	5.4	1.31×10^{-4}
—	—	3.7	2.0	57.1	2.0	0.170	6.604	5.0	6.7	3.60×10^{-6}
—	—	10.9	23.2	93.7	28.1	0.263	8.690	123.0	35.3	3.20×10^{-4}
—	—	7	12	10	12	3	3	8	8	15
—	—	—	—	—	—	0.214	7.885	47.1	24.4	9.55×10^{-5}
—	—	—	—	—	—	0.214	7.885	19.6	17.9	1.60×10^{-4}

桩号	土类型	统计	天然基本物理指标					物理指标			
			含水量（%）	湿密度（g/cm³）	干密度（g/cm³）	孔隙比	饱和度（%）	比重	液限（%）	塑限（%）	塑性指数
左堤基 42＋500 — 79＋500	黏土	最小值	16.0	1.71	1.38	0.671	55.4	2.71	36.9	21.3	13.9
		最大值	35.6	2.02	1.64	0.964	93.5	2.74	38.3	23.0	17.0
		组数	6	6	6	4	4	4	2	2	2
		算术平均值	25.8	1.86	1.48	0.830	75.6	2.73	—	—	—
		平均值	25.8	2.72	1.40	0.933	75.6	2.73	—	—	—
	壤土	最小值	5.2	1.41	1.28	0.534	15.1	2.68	25.2	16.1	6.7
		最大值	31.0	2.03	1.77	1.122	100.0	2.75	35.3	22.1	15.1
		组数	53	53	53	42	42	44	27	27	27
		算术平均值	15.4	1.74	1.51	0.806	54.1	2.71	28.4	18.8	9.6
		平均值	15.4	1.74	1.43	0.921	54.1	2.71	28.4	18.8	9.6
	砂壤土	最小值	4.9	1.33	1.25	0.581	12.3	2.67	24.8	18.0	5.0
		最大值	27.0	2.04	1.71	1.162	97.7	2.73	36.5	24.8	15.6
		组数	51	50	50	41	41	44	15	15	15
		算术平均值	14.4	1.68	1.47	0.829	51.9	2.70	28.6	20.6	8.1
		平均值	14.4	1.68	1.39	0.940	51.9	2.70	28.6	20.6	8.1
左堤基 79＋500 — 109＋500	黏土	最小值	6.3	1.50	1.26	0.679	18.5	2.69	27.0	16.7	8.2
		最大值	41.6	1.98	1.62	1.190	100.0	2.76	54.6	31.5	24.5
		组数	18	18	18	18	18	18	12	12	12
		算术平均值	27.9	1.85	1.45	0.897	84.4	2.73	39.5	23.2	16.3
		平均值	27.9	1.85	1.36	1.032	84.4	2.73	39.5	23.2	16.3
	壤土	最小值	6.3	1.46	1.36	0.572	17.7	2.67	24.2	13.7	6.3
		最大值	34.4	2.06	1.72	1.000	97.7	2.74	33.9	22.8	16.0
		组数	44	42	42	36	36	38	19	19	19
		算术平均值	16.6	1.76	1.50	0.811	56.8	2.71	28.4	19.1	9.3
		平均值	16.6	1.76	1.43	0.914	56.8	2.71	28.4	19.1	9.3
	砂壤土	最小值	4.3	1.41	1.35	0.570	11.5	2.67	22.0	15.0	4.3
		最大值	26.8	2.07	1.71	1.009	98.2	2.73	32.5	25.3	12.4
		组数	46	43	43	42	42	45	20	20	20
		算术平均值	14.4	1.74	1.51	0.793	52.9	2.70	27.5	20.4	7.2
		平均值	14.4	1.74	1.41	0.906	52.9	2.70	27.5	20.4	7.2

颗粒分析(%)						力学性质				渗透系数 K_{20} (cm/s)
						压缩		三轴(uu)		
> 0.25 mm	0.25 ~ 0.10mm	0.10 ~ 0.075mm	0.075 ~ 0.05mm	0.05 ~ 0.005mm	< 0.005 mm	压缩系数 α_{v1-2} (MPa^{-1})	压缩模量 E_{s1-2} (MPa)	凝聚力 C_u (kPa)	摩擦角 Φ_u (°)	
—	—	—	—	—	—	0.237	3.111	32.0	0.7	—
—	—	—	—	—	—	0.609	7.022	77.0	7.9	—
—	—	—	—	—	—	4	4	2	2	—
—	—	—	—	—	—	0.407	4.957	—	—	—
—	—	—	—	—	—	0.407	4.957	—	—	—
—	0.5	0.9	2.0	36.7	1.8	0.094	3.613	8.0	1.5	4.40×10^{-8}
—		17.3	32.1	83.3	38.8	0.553	18.035	110.0	22.0	5.09×10^{-4}
—	1	22	24	24	24	31	31	12	12	23
—	—	—	—	—	—	0.269	8.314	39.6	11.7	1.02×10^{-4}
—	—	—	—	—	—	0.269	8.314	21.1	5.5	2.75×10^{-4}
0.1	0.6	4.2	1.4	11.2	0.0	0.086	3.750	13.0	6.0	1.20×10^{-6}
0.5	20.8	42.6	48.7	85.0	25.2	0.480	21.883	77.0	37.3	2.70×10^{-3}
6	12	39	45	45	44	15	15	8	8	35
—	—	—	—	—	—	0.234	10.920	38.1	25.9	1.91×10^{-4}
—	—	—	—	—	—	0.234	10.920	18.0	15.9	5.03×10^{-4}
—	0.8	7.7	2.9	13.0	3.3	0.116	4.820	10.0	2.1	3.00×10^{-8}
—	7.5	37.2	39.0	79.2	47.7	0.427	15.004	65.0	31.7	1.20×10^{-4}
—	2	5	6	6	6	15	15	10	10	3
—	—	—	—	—	—	0.286	7.506	37.6	6.5	4.14×10^{-5}
—	—	—	—	—	—	0.286	7.506	21.1	3.0	1.20×10^{-4}
0.1	3.0	4.4	2.6	1.7	0.0	0.134	3.996	6.0	2.4	5.30×10^{-7}
0.4	13.0	37.8	89.8	87.5	34.4	0.452	14.642	74.0	27.4	3.70×10^{-3}
4	6	22	27	27	27	19	19	10	10	23
—	—	—	—	—	—	0.300	7.033	31.3	12.3	2.46×10^{-4}
—	—	—	—	—	—	0.300	7.033	12.4	8.2	1.55×10^{-3}
0.1	0.5	0.5	7.1	10.5	0.0	0.050	3.760	6.0	4.7	1.20×10^{-7}
0.3	41.6	40.7	49.5	83.8	20.6	0.470	31.400	136.0	36.2	2.03×10^{-3}
7	13	27	35	35	34	11	11	14	14	32
—	—	—	—	—	—	0.217	12.267	38.1	18.7	2.75×10^{-4}
—	—	—	—	—	—	0.217	12.267	17.1	9.6	1.06×10^{-3}

桩号	土类型	统计	天然基本物理指标					物理指标			
			含水量（%）	湿密度（g/cm³）	干密度（g/cm³）	孔隙比	饱和度（%）	比重	液限（%）	塑限（%）	塑性指数
左堤基 109＋500 — 147＋000	黏土	最小值	9.0	1.67	1.19	0.631	50.9	2.68	42.0	21.1	20.8
		最大值	42.0	1.97	1.68	1.311	97.9	2.79	46.2	25.2	21.4
		组数	15	15	15	14	14	14	3	3	3
		算术平均值	25.8	1.86	1.49	0.874	84.1	2.74	44.7	23.7	21.0
		平均值	25.8	1.86	1.31	1.177	84.1	2.74	44.7	23.7	21.0
	壤土	最小值	7.7	1.45	1.26	0.579	22.9	2.69	22.0	16.1	4.3
		最大值	33.2	2.10	1.72	1.092	100.0	2.75	41.0	24.3	19.4
		组数	71	71	71	64	64	68	30	30	30
		算术平均值	19.2	1.80	1.51	0.799	66.1	2.71	28.4	19.3	9.2
		平均值	19.2	1.80	1.42	0.907	66.1	2.71	28.4	19.3	9.2
	砂壤土	最小值	8.5	1.52	1.36	0.618	27.3	2.67	24.6	16.7	5.3
		最大值	33.5	2.04	1.67	0.985	100.0	2.76	49.7	26.2	23.5
		组数	35	34	34	29	29	32	26	26	26
		算术平均值	22.9	1.86	1.52	0.784	77.8	2.70	30.2	22.6	7.6
		平均值	22.9	1.86	1.45	0.873	77.8	2.70	30.2	22.6	7.6
左堤基 147＋000 — 191＋500	黏土	最小值	19.2	1.72	1.28	0.581	72.0	2.70	24.0	14.9	6.5
		最大值	41.7	2.06	1.73	1.172	100.0	2.78	55.9	28.3	31.2
		组数	58	58	58	43	43	35	23	23	23
		算术平均值	28.1	1.91	1.49	0.835	90.3	2.73	39.5	22.7	16.8
		平均值	28.1	1.91	1.41	0.967	90.3	2.73	39.5	22.7	16.8
	壤土	最小值	14.2	1.62	1.28	0.589	51.4	2.68	22.1	15.9	3.8
		最大值	39.0	2.06	1.70	1.115	100.0	2.78	48.6	26.4	22.2
		组数	91	91	91	82	82	63	60	60	60
		算术平均值	25.4	1.91	1.52	0.793	88.0	2.72	30.3	19.3	11.0
		平均值	25.4	1.91	1.43	0.899	88.0	2.72	30.3	19.3	11.0
	砂壤土	最小值	14.1	1.50	1.31	0.685	36.3	2.68	24.9	18.1	5.6
		最大值	31.3	2.00	1.60	1.046	98.6	2.76	29.5	23.9	6.8
		组数	12	12	12	10	10	10	3	3	3
		算术平均值	24.7	1.89	1.52	0.800	88.0	2.70	26.9	20.6	6.2
		平均值	24.7	1.89	1.44	0.928	88.0	2.70	26.9	20.6	6.2

| 颗粒分析（%） | | | | | | 力学性质 | | | | 渗透系数 K_{20}（cm/s） |
| | | | | | | 压缩 | | 三轴（uu） | | |
>0.25 mm	0.25~0.10mm	0.10~0.075mm	0.075~0.05mm	0.05~0.005mm	<0.005 mm	压缩系数 α_{v1-2}（MPa^{-1}）	压缩模量 E_{s1-2}（MPa）	凝聚力 C_u（kPa）	摩擦角 Φ_u（°）	
—	—	3.0	3.3	33.9	4.0	0.188	3.006	17.0	2.9	1.30×10^{-7}
—	—	13.3	14.7	89.0	51.4	0.678	9.437	66.0	12.5	3.18×10^{-6}
—	—	2	5	5	5	11	11	8	8	3
—	—	—	—	—	—	0.396	5.539	47.1	5.5	1.67×10^{-6}
—	—	—	—	—	—	0.396	5.539	34.5	3.4	2.44×10^{-6}
0.1	1.0	2.1	0.2	21.5	6.6	0.070	2.881	4.0	0.9	2.10×10^{-7}
0.4	20.7	29.8	30.1	83.0	43.5	0.697	23.000	96.0	37.7	1.20×10^{-3}
4	7	26	36	36	36	30	30	31	31	43
—	—	—	—	—	—	0.338	6.784	27.9	11.2	1.01×10^{-4}
—	—	—	—	—	—	0.338	6.784	14.8	3.8	5.53×10^{-4}
0.2	0.4	4.3	2.2	15.2	0.0	0.093	3.510	20.0	12.5	4.90×10^{-6}
0.5	16.8	36.3	36.9	89.5	40.7	0.510	18.887	82.0	28.5	1.00×10^{-3}
3	12	26	30	30	29	11	11	4	4	19
—	—	—	—	—	—	0.181	13.118	52.5	18.3	2.15×10^{-4}
—	—	—	—	—	—	0.181	13.118	31.5	12.9	5.47×10^{-4}
0.0	1.9	2.7	0.2	17.6	7.3	0.108	2.752	11.0	1.6	1.50×10^{-7}
0.0	1.9	14.8	48.3	78.1	55.8	0.788	16.320	58.0	23.3	4.10×10^{-3}
0	1	14	17	17	17	30	30	36	36	9
—	—	—	—	—	—	0.327	7.164	27.5	7.2	5.24×10^{-4}
—	—	—	—	—	—	0.327	7.164	19.2	3.9	2.32×10^{-3}
—	1.8	3.6	2.6	38.0	2.0	0.062	2.550	7.0	1.2	1.90×10^{-7}
—	6.4	25.5	20.5	79.5	55.0	0.730	26.703	82.0	39.0	2.80×10^{-3}
—	3	21	29	29	29	51	51	42	42	30
—	—	—	—	—	—	—0.306	7.793	28.5	12.4	1.21×10^{-4}
—	—	—	—	—	—	—0.306	7.793	18.2	5.2	1.04×10^{-8}
0.1	0.6	2.4	2.2	29.0	1.2	0.079	12.520	9.0	2.4	1.40×10^{-8}
0.1	4.4	33.9	31.4	81.2	55.4	0.160	21.883	90.0	34.0	5.10×10^{-4}
2	7	11	12	12	12	3	3	5	5	10
—	—	—	—	—	—	—0.111	17.384	52.6	25.7	8.16×10^{-5}
—	—	—	—	—	—	0.111	17.384	32.7	13.9	3.02×10^{-4}

表4-2-2　　　　　　　　　　　　　主要指标建议值

段次	岩性	抗剪强度		压缩模量 E_{s1-2}(MPa)	渗透系数 K_{20}(cm/s)	允许承载力 (kPa)
		C(kPa)	Φ(°)			
(1)	壤土	20	10	7	1.22×10^{-4}	160
	黏土	10	13	10	—	115
(2)	壤土	18	8	7	1.31×10^{-4}	150
(3)	砂壤土	10	17	10	1.60×10^{-4}	115
	黏土	25	5	5	—	130

三、左堤桩号42+500—79+000

以壤土为主,约占55%;其次为砂壤土,约占35%;只在局部夹有少量黏土。

(1)壤土:棕黄色,黄色及灰黄色,稍湿,可塑,土质均一,粉粒含量较高。含水量平均值为15.4%,孔隙比平均值为0.921,压缩系数平均值为0.269MPa^{-1},为中等压缩性土,渗透系数平均值为2.75×10^{-4}cm/s,为弱至中等透水性。该土层厚度大,分布较稳定。

(2)砂壤土:灰黄色,黄色,棕黄色,稍湿—湿,疏松—稍密,土质较均一,夹少量粉土。含水量平均值为14.4%,孔隙比平均值为0.940;压缩系数平均值为0.234MPa^{-1},为中等压缩性土;渗透系数平均值为5.03×10^{-4}cm/s,为弱至中等透水性。多分部在基础中下部,厚度大,分布范围广。

(3)黏土:棕黄色,棕红色,稍湿,可塑—软塑,土质较均一。含水量平均值为25.8%,孔隙比平均值为0.933;压缩系数平均值为0.407MPa^{-1},为中等压缩性土。多呈层状分部,多分布在基础中下部。

四、左堤桩号79+000—109+500

以壤土为主,占40%~50%;黏土和砂壤土次之,占25%~30%。剖面上土层结构较复杂。

(1)壤土:棕黄色,黄色及灰黄色,稍湿—湿,可塑—软塑,土质均一,粉粒含量较高,为粉质壤土。含水量平均值为16.6%,孔隙比平均值为0.914,压缩系数平均值为0.300MPa^{-1},为中等压缩性土,渗透系数平均值为1.55×10^{-3}cm/s,为中等透水性土。该土层厚度大,分布较稳定。

(2)黏土:棕黄色,棕红色,稍湿—湿,可塑—软塑,土质较均一。含水量平均值为27.9%,孔隙比平均值为1.032;压缩系数平均值为0.286MPa^{-1},为中等压缩性土。渗透系数平均值为1.2×10^{-4}cm/s,为弱至中等透水性。呈层状分布,多分布在基础中下部。

(3)砂壤土:灰黄色,黄色,棕黄色,稍湿—湿,土质较均一,夹少量粉土、粉砂。含水量平均值为14.4%,孔隙比平均值为0.906,压缩系数平均值为0.219MPa^{-1},为中等压缩性土;渗透系数平均值为 1.06×10^{-3} cm/s,为中等透水性。砂壤土多呈层状或透镜体状分布,厚度不大,分布范围广而没有规律。

五、左堤桩号 109+500—147+000

以壤土层为主,约占 70%;砂壤土及黏土层均较少,且呈透镜体状分布,多分部在基础中下部。

(1)壤土:棕黄色、浅黄色,稍湿—湿,可塑—软塑,土质均一,粉粒含量较高,为粉质壤土。含水量平均值为 19.2%,孔隙比平均值为 0.907,压缩系数平均值为 0.338MPa^{-1},为中等压缩性土,渗透系数平均值为 5.53×10^{-4} cm/s,为弱至中等透水性。该土层厚度大,在整段均有分部。

(2)砂壤土(及少量粉土):灰黄色,黄色,湿,稍密—中密,土质较均一,夹少量粉土。含水量平均值为 22.9%,孔隙比平均值为 0.873,压缩系数平均值为 0.181MPa^{-1},为中等压缩性土;渗透系数平均值为 5.47×10^{-4} cm/s,为弱至中等透水性。砂壤土多呈透镜体状,多分布在基础土体中下部。

(3)黏土:棕黄色,棕红色,湿,可塑—软塑,土质不均一,夹有壤土。含水量平均值为 25.8%,孔隙比平均值为 1.177;压缩系数平均值为 0.396MPa^{-1},为中等压缩性土;渗透系数平均值为 2.44×10^{-6} cm/s,为微透水性。黏土层较厚,多分布在基础中下部,呈透镜体状。

六、左堤桩号 147+000—191+000

该段黏土较多,黏土多达 50% ~ 70%;其次为壤土,呈薄层或透镜状分布;局部夹有少量砂壤土。

(1)黏土:上部棕黄色,下部褐灰色,湿,可塑—软塑,土质较均一,粉粒含量局部较高,含有贝壳小碎片。含水量平均值为 128.1%,孔隙比平均值为 0.967,压缩系数平均值为 0.327MPa^{-1},为中等至略偏高压缩性土,渗透系数平均值为 2.32×10^{-3} cm/s,为中等透水性。该土层厚度大,分布较稳定。

(2)壤土:棕黄色,褐黄色,稍湿—湿,可塑—软塑,土质较均一,粉粒含量较高,为粉质壤土,局部夹有薄层黏土。含水量平均值为 25.4%,孔隙比平均值为 0.899;压缩系数平均值为 0.306MPa^{-1},为中等压缩性土;渗透系数平均值为 1.04×10^{-3} cm/s,为中等透水性。分布较稳定,延展性较好。

(3)砂壤土:灰色,深灰色,湿—饱和,稍密,土质均一,夹少量粉土、粉砂,含有机质及局部含有贝壳碎片。只在基础下部局部地段夹有少量砂壤土。含水量平均值为 24.7%,孔隙比平均值为 0.928;压缩系数平均值为 0.111MPa^{-1},为中等压缩性土;渗透系数平均值为 3.02×10^{-4} cm/s,为弱至中等透水性。

设计对堤基土体进行稳定复核,可按表 4-2-1、表 4-2-3 选取参数。

表 4 - 2 - 3 主要参数建议值统计表

段次	岩性	抗剪强度		压缩模量 E_{sl-2}(MPa)	渗透系数 K_{20}(cm/s)	允许承载力 (kPa)
		C(kPa)	Φ(°)			
(1)	壤土	21	5	7	2.75×10^{-4}	160
	砂壤土	18	15	10	5.03×10^{-4}	128
(2)	壤土	12	8	7	1.55×10^{-3}	135
	砂壤土	17	10	12	1.06×10^{-3}	130
	壤土	14	5	17	5.53×10^{-4}	150
(3)	砂壤土	20	12	13	5.47×10^{-4}	125
	黏土	20	5	5	2.44×10^{-6}	140
(4)	壤土	18	6	7	1.04×10^{-3}	145
	黏土	19	4	5	2.32×10^{-3}	135

七、主要工程地质问题

(一)动液化

岔河、老减河各堤段堤基分布较多的砂壤土、粉土,局部为粉细砂,土体结构松散,厚度不一。沟店铺以上,地震基本烈度为 7 度;其下游处于 6 度区。

该区岔河基础砂性土的平均粒径一般在 0.02~0.04mm,老减河基础砂性土的平均粒径一般在 0.03~0.07mm,根据振动液化土粒分析判断法初判,该地区在发生 7 度地震时上述饱水少黏性土均有发生振动液化的可能。

(二)渗透稳定

如前所述,堤基土体为第四系松散堆积物,堤基有较多的砂性土,并且堤外侧地形较为复杂,有许多洼地、引水渠、排水沟及水坑等地势低洼处。在这样的条件下行洪时,基础砂性土存在渗透破坏的可能。

土的不均匀系数一般小于 10,只在局部略大于 10,这说明堤基砂性土较均匀,渗透变形一般为流土形式,只在局部可能为流土或管涌。另外,土的渗透系数一般均小于 5.0×10^{-3}cm/s,据此,设计对地基进行稳定复核时,其允许水力坡降建议值为 0.2~0.5,具体应根据相应部位土体密实度选用。

需要说明的是,由于地层结构多变,钻孔间距又较大,在大堤地质纵剖面图上对土层的连接可能与实际情况会有一定的出入,或者很有可能地层中某些浅部砂性土未被揭露,所以以上对基础上部砂性土的分布位置、厚度与实际情况也会有所出入。

(三)地基沉陷

前已述及,区内地层为第四系冲积和冲积海积松散堆积物,分布有一定范围和厚度的黏土层,由于该层分布规律性差,呈层状或透镜体状,分布范围不同,厚度不一,埋深不一,土的压缩性变化大,所以大堤堤基压缩变形显得较为复杂。设计对堤基进行压缩变形复核,应结合具体部位地层分布特征,其物理力学指标参数可按表 4 - 2 - 1、表 4 - 2 - 3 选用。

第二节 堤身土体质量

一、桩号 0 + 000—42 + 500

(一)堤身土体组成

岔河左堤堤面高程 23.38 ~ 27.10m,堤高 4.0 ~ 5.0m。堤身土体均为人工填土,土体颗粒组成较复杂,且分布无规律。壤土、砂壤土、黏土和粉土均有分布,因就地河床取土筑堤,故其颗粒组成与人工河床两岸土体大体一致。

(二)堤身土体物理力学性质

堤身土体的物理力学性质指标详见表 4 - 2 - 4。由表 4 - 2 - 4 中试验数据来看,由于堤身土体物质组成不同或同一类土而密实度的差异,致使试验数据高度分散,这就充分反映了堤身土体的颗粒组成和密实程度的不均一性。

表 4 - 2 - 4　　　　　　　　堤基土体物理力学性质指标建议值

土质类型	密度		抗剪强度		压缩模量	渗透参数
	干(g/cm^3)	湿(g/cm^3)	C(kPa)	φ(°)	E_{sl-2}(MPa)	K(cm/s)
粉质粘土	1.47	1.96	—	—	—	—
粉质壤土	1.49	1.70	5	17	5	3.1×10^{-4}
粉质砂壤土	1.44	1.58	3	20	5	1.6×10^{-4}
粉土	1.43	1.59	—	—	—	—
粉砂	1.40	1.50	0	26	16	2.5×10^{-3}

(三)堤身土体质量

根据堤身土体物质组成及其物理力学性质,将堤身分段说明如下所述。

1. 桩号 0 + 000—37 + 000

该段堤身土体以壤土、砂壤土、粉土为主,夹有黏土。其主要物理力学性质分述如下:

(1)壤土。灰黄、棕黄色,干—稍湿,硬塑状,局部粉粒含量较高,土质不均一,夹有黏土团块。天然干密度为 1.25 ~ 1.66g/cm^3,平均值为 1.44g/cm^3;压缩系数为 0.020 ~ 0.715MPa^{-1},平均值为 0.330MPa^{-1},属中等—高压缩性土;渗透系数为 8.90×10^{-6} ~ 9.50×10^{-4}cm/s,平均值为 2.06×10^{-4}cm/s,属于弱—中等透水性土。

(2)砂壤土。褐黄色,干—稍湿,松散—稍密,土质不均一,夹有黏土团块。天然干密度为 1.25 ~ 1.63g/cm^3,平均值为 1.43g/cm^3;渗透系数为 1.40×10^{-6} ~ 6.41×10^{-4}cm/s,平均值为 9.11×10^{-5}cm/s,属于弱—中等透水性土。

(3)粉土。浅棕黄色,稍湿,稍密,土质不均一,夹有壤土。天然干密度为 $1.27 \sim 1.55$ g/cm^3,平均值为 1.41g/cm^3;渗透系数为 $2.89 \times 10^{-6} \sim 5.50 \times 10^{-4} \text{cm/s}$,平均值为 $2.53 \times 10^{-4}\text{cm/s}$,属于弱—中等透水性土。

(4)黏土。棕黄色,干,硬塑状,局部粉粒含量稍高。天然干密度为 $1.38 \sim 1.69\text{g/cm}^3$, 平均值 1.55g/cm^3;压缩系数平均值为 $0.204 \sim 0.380\text{MPa}^{-1}$,属中等压缩性土;仅做一组渗透试验,渗透系数为 $1.80 \times 10^{-5}\text{cm/s}$,属于弱透水性土。

据击实试验成果,该段堤身土,最大干密度平均值为 1.72g/cm^3,压实度按 0.92 考虑, 则筑堤土质量控制干密度应达到 1.58g/cm^3;根据土工试验成果,参加统计的 48 组数据 中,堤身土干密度大于质量控制干密度值的占 10.4%。该段堤身土干密度平均值、小值 平均值分别为 1.45g/cm^3 和 1.36g/cm^3,即分别低于质量控制干密度值 8.2% 和 13.9%,而 最小干密度为 1.25g/cm^3,低于质量控制干密度值 20.9%。且堤身下部的填筑土普遍松 散,所以总的来看,该堤段土体碾压不实,仅就干密度而言,堤身质量差。

2. 桩号 37 + 000—42 + 500

该段堤身土体主要为壤土、粉土,夹有砂壤土。其主要性质分述如下:

(1)壤土。浅棕黄、褐黄色,干—稍湿,硬塑状,土质不均一,夹有黏土团块。堤身土干 密度为 $1.48 \sim 1.63\text{g/cm}^3$,平均值为 1.56g/cm^3;压缩系数为 $0.109 \sim 0.460\text{MPa}^{-1}$,平均值为 0.226MPa^{-1},为中等压缩性土;仅做一组渗透试验,系数为 $2.90 \times 10^{-6}\text{cm/s}$,属于微透 水层。

(2)粉土。浅黄色,干,松散,土质不均一,夹有黏土团块。做两组试验,堤身土 干密度为 $1.45 \sim 1.58\text{g/cm}^3$;仅做一组渗透试验,渗透系数为 $1.80 \times 10^{-4}\text{cm/s}$,属于中等透 水层。

(3)砂壤土。褐黄色,干—稍湿,中密。仅做一组试验,堤身土干密度为 1.40g/cm^3。

据击实试验成果,该段堤身土,最大干密度平均值为 1.74g/cm^3,压实度按 0.92 考虑, 则筑堤土控制干密度应为 1.60g/cm^3;根据土工试验成果,参加统计的 9 组数据中,堤身土 干密度大于质量控制干密度值的占 11.1%。该段堤身土干密度平均值、小值平均值分别 为 1.53、1.45g/cm^3,即分别低于质量控制干密度值 4.4%、9.4%,而最小干密度为 1.40 g/cm^3,低于质量控制干密度值 12.5%。在桩号 38 + 000—42 + 000 近堤身底部分布有厚 约 2.7m 的粉土和砂壤土,土体松散,抗冲能力差,易产生内堤坡滑动破坏等问题。

综上所述,左堤堤身物质组成不均一,为壤土、砂壤土、粉土和黏土。堤身土体干密度 变化大,为 $1.25 \sim 1.69\text{g/cm}^3$,多呈中等压缩性,局部近高压缩性土,黏性土一般呈弱透水, 砂壤土及粉土一般呈中等透水。

由于土质不均一,碾压质量差,造成堤身土体天然干密度变小。尤其左堤第一段堤 身下部土体普遍松散,抗冲刷能力差、强度低、渗透性较强,堤身质量差。而在桩号 38 + 000—42 + 000 间堤身土体下部分布有厚约 2.7m 的粉土和砂壤土,土体松散。

对堤身土体进行稳定复核,其堤身土体主要物理力学性质指标,设计可按表4 - 2 - 4、 表4 - 2 - 5选取。

表 4 - 2 - 5　　　　　　　　　　　　　左堤堤身土体主要指标建议值

段次	桩号	岩性	干密度（g/cm³）	凝聚力（kPa）	摩擦角（°）	渗透系数（cm/s）
（1）	0+000—37+000	黏土	1.46	20	9	1.80×10^{-5}
		壤土	1.33	23	9	5.84×10^{-4}
		粉土	1.29	7	12	4.75×10^{-4}
		砂壤土	1.34	15	16	3.67×10^{-4}
（2）	37+000—42+500	壤土	1.51	20	9	2.90×10^{-6}
		粉土	1.45	9	12	1.40×10^{-4}
		砂壤土	1.40	2	5	2.50×10^{-4}

注：由于土质不均一，选取参数主要以统计值的小值或大值平均值为依据。

（四）堤身土体质量评价

据调查，大堤表面未发现有明显沉陷，在局部地段的后戗戗面上发育有塌坑和小冲沟，个别堤段的冲沟向堤面方向冲切，但其规模相对较小，详见表 4 - 2 - 6。

表 4 - 2 - 6　　　　　　　　　　　　　左堤堤况统计表

桩号	长度（m）	主要岩性	堤身及戗表面现状
41+500—41+700	200	黏土、壤土	大堤后戗发育有较大的冲沟和塌洞，局部冲沟已沿至堤脚，对堤身有影响
13+600—13+900	300	黏土、壤土	大堤后戗面发育有塌坑，塌坑长 1.0～1.5m，宽 0.5～0.8m
7+950—8+000	50	壤土	后戗戗面上有 3 个较大的塌坑和多个小塌坑，塌坑大者达几米，小者仅十几厘米

综上所述，堤身土体的物质组成、物理力学特性，单就试验数据来看，部分堤段堤身土体密实度小，近 90% 的土样干密度小于质量控制干密度（最大干密度×0.92），局部土体的最小干密度值仅相当最大干密度的 70%。由于堤身土体疏松，大大降低了土体抗冲刷能力，在饱水时还会产生较大的沉陷，降低土体力学强度，透水性增强等，对于内堤坡稳定、渗透稳定等问题应予以复核。质量类别为 $Ⅱ_2$ ～ $Ⅲ_3$ 类。

据勘察资料，堤身土体以壤土、砂壤土为主，夹有黏土、粉土和粉砂。堤身分布的砂壤土、粉土和粉砂透水性较好，其结构松散，埋深及厚度也不尽相同。如在桩号 1+000、8+700—13+600、14+400—16+700、18+000—19+500、30+500—32+000、32+500—37+200、39+000 及 42+000 附近砂性土层或位于建基面之上，或在建基面附近，其厚度 2.0～4.0m，设计可按流土破坏形式复核，建议允许水力坡降为 0.23。

该段堤身的砂壤土、粉土和粉砂结构松散，土体平均粒径 d_{50} 一般为 0.02～0.04mm。根据振动液化土体分析判断法初判，在堤身土体饱水恰逢发生 7 级地震时，为可能液化土。

二、桩号 42+500—191+000

(一)堤身土体物质组成

大堤全堤土质类型组成比较复杂,分布无规律,但多与基础岩性有关,因为当时筑堤主要为开挖河床就近取土,故其物质组成与堤基土体大体一致,主要为壤土、黏土、砂壤土、粉土和粉砂及极细砂。

壤土多为重粉质和轻粉质壤土,含量占大堤的大多数;黏土分为粉质黏土和黏土,其中粉质黏土含量较多,纯黏土含量较少。纯黏土一般为棕红色或褐灰色,较硬,成层性较差,多为团块状;砂壤土多为重粉质和轻粉质砂壤土,从剖面上看,砂壤土没有壤土和黏土所占的比例大;粉土、粉砂和极细砂占的比例则较小。

(二)堤身土体物理力学性质

堤身土体物理力学性质详见表 4－2－7。

(三)堤身土体质量

根据堤身土体物质组成和物理力学性质指标,漳卫新河左堤可分为 8 段。

1. 桩号 42+500—79+010

由壤土、黏土、砂壤土、粉土和少量粉砂组成,壤土约占该段统计厚度的 59 %,黏土约占 28 %,砂壤土约占 12%,粉土约占 0.6 %,极细砂约占 0.6%。

(1)壤土:褐黄色,硬塑—可塑状,局部粉粒含量和黏粒含量较高,以重粉质壤土为主。土体干密度 1.26 ~ 1.74 g/cm³。压缩系数为 0.363MPa⁻¹,为中压缩性土,渗透系数 5.80 × 10⁻⁸ ~ 1.08 × 10⁻⁴ cm/s,为中等—极微透水。

(2)黏土:褐色、棕红色、灰色,硬塑为主,局部可塑—软塑状,可见植物腐根和锈色斑点,大多粉粒含量较高。土体干密度 1.33 ~ 1.63 g/cm³,压缩系数为 0.190 ~ 0.697 MPa⁻¹,为中—高压缩性土,渗透系数 1.20 × 10⁻⁵ ~ 1.60 × 10⁻⁵ cm/s,为微透水性。

(3)砂壤土:褐黄色,稍湿—湿,疏松—稍密,局部含钙质结核,主要为粉质砂壤土。土体干密度 1.31 ~ 1.52 g/cm³,压缩系数为 0.236 ~ 0.24 MPa⁻¹,为中等压缩性土,渗透系数 2.00 × 10⁻⁵ ~ 3.50 × 10⁻⁵ cm/s,为微—弱透水。

(4)粉土:褐黄色,稍湿—湿,疏松—稍密,局部含钙质结核,土体干密度 1.45 g/cm³。

(5)极细砂:褐黄色,稍湿,疏松—稍密,质地均一。

根据击实试验成果,该段堤身土最大干密度平均值为 1.67 g/cm³,压实度按 0.92 考虑,则筑堤土质量控制干密度应为 1.53 g/cm³;根据土工试验成果,参加统计的 44 组数据中,堤身土体干密度大于质量控制干密度值的占 18.2%。该段堤身土干密度平均值、小值平均值分别为 1.46、1.38g/cm³,即分别低于质量控制干密度值 4.6%、9.8%,而最小干密度为 1.26 g/cm³,低于质量控制干密度值 17.7%。堤身局部土体质地较松散。

堤段堤身土体质量可判定为 Ⅱ₂ 类堤防。据物探成果,堤身与基础接触面附近的纵波速度为 210 ~ 240m/s。

2. 桩号 79+010—99+720

堤身土体为壤土、黏土、砂壤土、粉土。壤土约占该段统计厚度的 56%,黏土约占 23%,砂壤土约占 17 %,粉土约占 4%。

(1)壤土:褐黄色,硬塑—可塑状,粉粒含量较高。土体干密度 1.31～1.79 g/cm³。压缩系数为 0.063～0.441 MPa⁻¹,为低—中压缩性土,渗透系数为 1.20×10^{-6}～9.50×10^{-5} cm/s,为微—极微透水。

(2)黏土:褐色、棕红色,局部灰色,硬塑为主,局部可塑—软塑。干密度 1.30～1.70 g/cm³。压缩系数为 0.130～0.733 MPa⁻¹,为中—高压缩性土,渗透系数为 8.00×10^{-6} cm/s,属微透水性。

(3)砂壤土:褐黄色,稍湿—湿,疏松—中密,局部含钙质结核。干密度 1.37～1.63 g/cm³。压缩系数为 0.087～0.304 MPa⁻¹,为低—中压缩性土,渗透系数为 3.90×10^{-5}～3.10×10^{-4} cm/s,属微—弱透水性。

根据击实试验成果,该段堤身土最大干密度平均值为 1.69g/cm³,压实度按 0.92 考虑,则筑堤土质量控制干密度应为 1.56g/cm³;根据土工试验成果,参加统计的 46 组数据中,堤身土体干密度大于质量控制干密度值的占 52.2%。该段堤身土干密度平均值、小值平均值分别为 1.54、1.40 g/cm³,即分别低于质量控制干密度值 1.3%、10.3%,而最小干密度为 1.30g/cm³,低于质量控制干密度值 16.7%。所以,总的来看,该堤段土体干密度较大,可判定为 II₁ 类堤防工程。

3. 桩号 99＋720—123＋10

堤身土体以壤土、黏土、砂壤土为主,壤土约占 55%,黏土约占 17%,砂壤土约占 24%。

(1)壤土:褐黄色,硬塑—可塑状,局部粉含量较高。干密度 1.39～1.73 g/cm³。压缩系数为 0.110～0.560 MPa⁻¹,为中—高压缩性土,渗透系数 8.44×10^{-7}～2.70×10^{-4} cm/s,属极微—弱透水性。

(2)黏土:褐色,棕红色,局部灰色,硬塑—可塑状,粉粒含量高。干密度 1.28～1.61 g/cm³。压缩系数为 0.350～0.69 MPa⁻¹,为中—高压缩性土,渗透系数 6.30×10^{-5} cm/s,为微透水。

(3)砂壤土:褐黄色,稍湿—湿,疏松—稍密,局部含钙质结核。干密度 1.18～1.63 g/cm³。渗透系数为 5.30×10^{-7}～2.40×10^{-4} cm/s,属极微—弱透水性。

根据击实试验成果,该段堤身土最大干密度平均值为 1.71g/cm³,压实度按 0.92 考虑,则筑堤土质量控制干密度应为 1.57g/cm³;根据土工试验成果,参加统计的 37 组数据中,堤身土体干密度大于质量控制干密度值的占 21.6%。该段堤身土干密度平均值、小值平均值分别为 1.46、1.37g/cm³,即分别低于质量控制干密度值 7.0%、12.0%,而最小干密度为 1.18g/cm³,低于质量控制干密度值 24.8%。堤身土体较为疏松。

堤身土质量判定为 II₃ 类。据物探成果,堤身与基础接触面附近土体的纵波速度 230m/s。

4. 桩号 123＋100—132＋958

堤身土体以壤土、砂壤土、黏土为主,各占该段比例约为:壤土 69%,砂壤土 20%,黏土 11%。

(1)壤土:棕黄—褐黄色,硬塑—可塑状,主要为粉质壤土,土体干密度 1.32～1.79 g/cm³。压缩系数为 0.170～0.733 MPa⁻¹,为中—高压缩性土,渗透系数为 1.10×10^{-6}～

部位	桩号	土类型	统计	天然基本物理指标					物理指标			
				含水量（%）	湿密度（g/cm³）	干密度（g/cm³）	孔隙比	饱和度（%）	比重	液限（%）	塑限（%）	塑性指数
左堤	42＋500—79＋010	黏土	最小值	16.5	1.58	1.33	0.694	45.9	2.70	31.1	18.2	10.6
			最大值	31.9	1.94	1.63	1.075	99.4	2.76	36.3	20.5	18.1
			组数	12	12	12	11	11	11	2	2	2
			算术平均值	22.9	1.78	1.45	0.903	70.1	2.74	—	—	—
			平均值	22.9	1.78	1.39	0.988	70.1	2.74	—	—	—
		壤土	最小值	6.9	1.47	1.26	0.557	19.4	2.69	25.8	16.4	6.1
			最大值	29.2	2.03	1.74	1.159	95.9	2.76	39.0	24.1	17.4
			组数	27	27	27	23	23	24	17	17	17
			算术平均值	15	1.71	1.49	0.840	51.8	2.72	30.9	19.8	11.1
			平均值	15.1	1.71	1.41	0.945	51.8	2.72	30.9	19.8	11.1
		粉土	ZK371－1	6.0	1.54	1.45	0.838	19.1	2.67	—	—	—
		砂壤土	最小值	10.2	1.59	1.31	0.789	35.2	2.71	29.1	18.7	6.7
			最大值	31.8	1.72	1.52	0.943	42.3	2.73	52.0	27.5	24.5
			组数	5	5	5	4	4	4	3	3	3
			算术平均值	16	1.67	1.44	0.851	39.3	2.72	37.3	22.9	14.5
			平均值	16.2	1.67	1.36	0.943	39.3	2.72	37.3	22.9	14.5
	79＋010—99＋720	黏土	最小值	11.6	1.69	1.30	0.596	45.4	2.70	26.0	16.5	7.5
			最大值	32.9	1.93	1.70	1.123	86.5	2.76	40.0	22.0	18.0
			组数	12	12	12	10	10	10	4	4	4
			算术平均值	18.6	1.83	1.55	0.785	67.3	2.73	31.2	19.4	11.9
			平均值	18.6	1.83	1.41	0.957	67.3	2.73	31.2	19.4	11.9
		壤土	最小值	4.6	1.52	1.31	0.499	16.5	2.68	26.3	16.9	6.0
			最大值	20.1	2.02	1.79	1.061	76.8	2.73	37.0	24.0	14.7
			组数	29	29	29	25	25	26	11	11	11
			算术平均值	13.0	1.72	1.52	0.773	47.2	2.71	29.3	19.9	9.4
			平均值	13.0	1.72	1.42	0.900	47.2	2.71	29.3	19.9	9.4
		粉土	最小值	4.2	—	—	—	—	2.68	—	—	—
			最大值	5.8	—	—	—	—	2.70	—	—	—
			组数	2.0	—	—	—	—	2.00	—	—	—
			算术平均值	—	—	—	—	—	—	—	—	—
			平均值	—	—	—	—	—	—	—	—	—
		砂壤土	最小值	5.8	1.46	1.37	0.650	18.3	2.69	28.0	21.2	5.5
			最大值	17.0	1.89	1.63	0.978	67.6	2.71	29.9	23.4	7.4
			组数	6	5	5	5	5	6	3	3	3
			算术平均值	9.4	1.71	1.56	0.739	35.8	2.70	28.9	22.4	6.6
			平均值	9.4	1.71	1.37	0.978	35.8	2.70	28.9	22.4	6.6

果统计表

| 颗粒分析(%) | | | | | | 力学性质 | | | | 渗透系数 |
| | | | | | | 压缩 | | 三轴(uu) | | |
>0.25 mm	0.25~0.10mm	0.10~0.075mm	0.075~0.05mm	0.05~0.005mm	<0.005 mm	压缩系数 α_{v1-2} (MPa^{-1})	压缩模量 E_{s1-2} (MPa)	凝聚力 C_u (kPa)	摩擦角 Φ_u (°)	K_{20} (cm/s)
—	—	2.2	1.8	30.0	13.1	0.190	2.905	6.0	7.2	1.20×10^{-5}
—	—	10.1	9.5	67.3	64.5	0.697	9.926	41.0	19.3	1.60×10^{-5}
—	—	5	5	5	5	11	11	2	2	2
—	—	6.4	4.2	50.9	38.6	0.383	5.911	—	—	
—	—	6.4	4.2	50.9	38.6	0.383	5.911	—	—	
—	—	4.1	0.6	46.3	11.1	0.079	3.714	62.0	4.7	5.80×10^{-8}
—	—	13.9	13.2	74.7	43.5	0.515	19.607	62.0	4.7	1.80×10^{-4}
—	—	17	18	18	18	15	15	1	1	14
—	—	8.9	6.7	64.0	20.9	0.363	6.341	—	—	4.03×10^{-5}
—	—	8.9	6.7	64.0	20.9	0.363	6.341	—	—	8.52×10^{-5}
—	—	35.2	26.9	35.9	2.0	—	—			
—	—	4.5	3.4	45.7	8.2	0.236	7.408	—	—	2.00×10^{-5}
—	—	5.2	6.3	81.0	45.7	0.240	7.668	—	—	3.50×10^{-5}
—	—	2	2	2	2	2	2			2
—	—	4.9	4.9	63.4	27.0	0.238	7.538	—	—	
—	—	4.9	4.9	63.4	27.0	0.238	7.538	—	—	
—	2.9	8.6	5.9	49.2	16.2	0.130	2.886	9.0	6.2	8.00×10^{-6}
—	2.9	13.0	18.7	60.4	25.1	0.733	12.300	23.0	9.7	8.00×10^{-6}
—	1	2	2	2	2	9	9	3	3	1
—	—	—	—	—	—	0.300	7.850	16.7	7.6	
—	—	—	—	—	—	0.300	7.850	9.0	6.6	
—	0.3	4.6	4.5	38.0	0.2	0.063	4.153	10.0	4.5	1.20×10^{-6}
—	0.5	16.4	37.5	78.5	37.5	0.441	26.869	45.0	9.0	9.50×10^{-5}
—	3	17	22	22	22	13	13	2	2	14
—	0.4	10.8	14.0	61.9	15.6	0.256	9.850	—	—	3.56×10^{-5}
—	0.4	10.8	14.0	61.9	15.6	0.256	9.850	—	—	7.10×10^{-5}
—	—	—	25.0	75.0	—	—	—			
—	—	—	25.0	75.0	—	—	—			
—	—	—	1.0	1.0	—	—	—			
—	—	—	—	—	—	—	—			
—	0.4	10.9	10.9	41.0	3.2	0.087	6.488	—	—	3.90×10^{-5}
—	0.4	19.8	22.5	82.3	10.5	0.304	19.018	—	—	3.10×10^{-4}
—	1	4	5	5	5	2	2	—	—	4
—	0.4	13.6	14.4	64.9	6.5	0.196	12.753	—	—	1.34×10^{-4}
—	0.4	13.6	14.4	64.9	6.5	0.196	12.753	—	—	2.25×10^{-4}

续表 4-2-7

部位	桩号	土类型	统计	天然基本物理指标					物理指标			
				含水量（%）	湿密度（g/cm³）	干密度（g/cm³）	孔隙比	饱和度（%）	比重	液限（%）	塑限（%）	塑性指数
左堤	99+720 — 123+100	黏土	最小值	12.8	1.51	1.28	0.689	37.4	2.71	35.4	20.4	14.8
			最大值	25.1	1.86	1.61	1.141	70.6	2.75	45.6	23.6	22.3
			组数	7	7	7	7	7	8	4	4	4
			算术平均值	19.1	1.68	1.41	0.951	55.7	2.73	39.9	22.0	17.9
			平均值	19.1	1.68	1.31	1.088	55.7	2.73	39.9	22.0	17.9
		壤土	最小值	6.9	1.56	1.39	0.569	26.7	2.70	23.6	15.3	6.7
			最大值	19.7	2.00	1.73	0.950	73.8	2.75	33.8	19.4	14.7
			组数	25	21	21	20	20	25	10	10	10
			算术平均值	13.4	1.74	1.53	0.782	49.0	2.72	28.5	17.7	10.9
			平均值	13.4	1.74	1.45	0.861	49.0	2.72	28.5	17.7	10.9
		粉土		—	—	—	—	—	—	—	—	—
		砂壤土	最小值	4.0	1.29	1.18	0.661	16.0	2.69	25.0	16.7	5.4
			最大值	24.3	1.81	1.63	1.311	75.7	2.73	41.5	22.8	18.7
			组数	11	9	9	8	8	10	6	6	6
			算术平均值	9.5	1.59	1.45	0.878	32.1	2.71	28.6	18.8	9.8
			平均值	9.5	1.59	1.34	1.095	32.1	2.71	28.6	18.8	9.8
	123+100 — 132+958	黏土	最小值	18.7	1.90	1.59	0.683	74.2	2.70	—	—	—
			最大值	19.4	1.91	1.61	0.683	74.2	2.71	—	—	—
			组数	2	2	2	1	1	2	—	—	—
			算术平均值	—	—	—	—	—	—	—	—	—
			平均值	—	—	—	—	—	—	—	—	—
		壤土	最小值	8.2	1.56	1.32	0.511	39.3	2.70	25.5	14.1	7.4
			最大值	21.5	2.02	1.79	1.053	86.9	2.72	46.4	23.0	23.4
			组数	14	14	14	12	12	12	6	6	6
			算术平均值	14.9	1.78	1.55	0.758	57.3	2.71	30.2	17.4	12.8
			平均值	14.9	1.78	1.45	0.881	57.3	2.71	30.2	17.4	12.8
		砂壤土	最小值	9.7	1.72	1.52	0.641	36.3	2.71	24.8	15.3	9.5
			最大值	17.9	1.86	1.66	0.783	62.0	2.72	29.7	18.0	11.7
			组数	3	3	3	3	3	3	2	2	2
			算术平均值	13.3	1.79	1.58	0.716	50.0	2.71	27.3	16.7	10.6
			平均值	13.3	1.79	1.55	0.754	50.0	2.71	27.3	16.7	10.6

颗粒分析(%)						力学性质				渗透系数 K_{20}
						压缩		三轴(uu)		
>0.25 mm	0.25~ 0.10mm	0.10~ 0.075mm	0.075~ 0.05mm	0.05~ 0.005mm	<0.005 mm	压缩系数 α_{v1-2} (MPa^{-1})	压缩模量 E_{s1-2} (MPa)	凝聚力 C_u (kPa)	摩擦角 Φ_u (°)	(cm/s)
0.2	3.9	6.5	1.8	33.6	30.1	0.350	3.035	8.0	8.0	6.30×10^{-5}
0.2	3.9	9.7	7.4	57.0	57.7	0.699	4.832	25.0	11.9	6.30×10^{-5}
1	1	5	5	5	5	7	7	2	2	1
0.2	3.9	8.1	3.8	46.5	40.8	0.537	3.723	—	—	—
0.2	3.9	8.1	3.8	46.5	40.8	0.537	3.723	—	—	—
0.1	0.5	4.9	4.6	30.5	9.6	0.110	3.723	4.0	3.3	8.44×10^{-7}
0.4	8.1	41.0	25.4	66.7	40.2	0.560	14.070	35.0	22.0	2.70×10^{-4}
2	4	12	15	15	15	12	12	3	3	9
0.3	2.9	15.1	13.1	50.8	23.3	0.371	5.926	15.7	15.2	4.48×10^{-5}
0.3	2.9	15.1	13.1	50.8	23.3	0.371	5.926	6.0	3.3	1.75×10^{-4}
—	—	—	—	—	—	—	—	—	—	—
0.6	1.3	5.5	5.8	40.7	2.3	—	—	—	—	5.30×10^{-7}
0.6	8.1	30.1	29.4	73.5	36.8	—	—	—	—	2.40×10^{-4}
1	6	11	11	11	11	—	—	—	—	6
0.6	5.6	14.9	15.5	50.3	16.1	—	—	—	—	1.12×10^{-4}
0.6	5.6	14.9	15.5	50.3	16.1	—	—	—	—	2.05×10^{-4}
—	—	—	—	—	—	0.338	4.970	17.0	5.8	—
—	—	—	—	—	—	0.338	4.970	17.0	5.8	—
—	—	—	—	—	—	1	1	1	1	—
—	—	—	—	—	—	—	—	—	—	—
—	—	—	—	—	—	—	—	—	—	—
0.2	0.5	9.5	7.0	26.2	10.0	0.170	2.807	7.0	1.5	1.10×10^{-6}
0.3	39.7	16.5	18.1	63.4	30.5	0.733	10.450	43.0	22.4	4.00×10^{-3}
2	5	8	8	8	8	9	9	4	4	4
0.3	10.7	13.6	11.9	47.2	20.7	0.378	5.963	24.8	11.8	1.02×10^{-3}
0.3	10.7	13.6	11.9	47.2	20.7	0.378	5.963	14.0	5.6	4.00×10^{-3}
0.4	13.2	5.9	8.0	39.0	9.8	—	—	28.0	1.6	9.20×10^{-5}
0.4	13.2	18.1	15.3	76.3	23.5	—	—	28.0	1.6	9.20×10^{-5}
1	1	3	3	3	3	—	—	1	1	1
0.4	13.2	13.2	10.5	56.0	15.8	—	—	—	—	—
0.4	13.2	13.2	10.5	56.0	15.8	—	—	—	—	—

部位	桩号	土类型	统计	天然基本物理指标					物理指标			
				含水量（%）	湿密度（g/cm³）	干密度（g/cm³）	孔隙比	饱和度（%）	比重	液限（%）	塑限（%）	塑性指数
左堤	132＋958—141＋950	黏土	最小值	15.7	1.60	1.34	0.903	44.0	2.72	—	—	—
			最大值	24.3	1.79	1.44	1.030	73.7	2.74	—	—	—
			组数	3	3	3	3	3	3			
			算术平均值	21.1	1.68	1.39	0.968	59.7	2.73	—	—	—
			平均值	21.1	1.68	1.36	1.001	59.7	2.73	—	—	—
		壤土	最小值	10.9	1.54	1.32	0.546	36.0	2.70	26.0	17.6	6.6
			最大值	20.8	2.07	1.75	1.061	88.9	2.72	28.2	20.8	9.8
			组数	10	10	10	10	10	10	4	4	4
			算术平均值	14.8	1.75	1.52	0.791	53.3	2.71	27.1	18.9	8.2
			平均值	14.8	1.75	1.44	0.892	53.3	2.71	27.1	18.9	8.2
		粉土		20.6	1.84	1.53	0.757	72.9	2.68	—	—	—
		砂壤土	最小值	5.5	1.63	1.49	0.714	20.7	2.69	26.6	17.5	5.5
			最大值	15.0	1.77	1.57	0.815	52.7	2.71	29.4	21.2	11.9
			组数	4	4	4	4	4	3	3	3	3
			算术平均值	10.9	1.70	1.53	0.767	38.0	2.70	27.9	19.9	7.9
			平均值	10.9	1.70	1.50	0.804	38.0	2.70	27.9	19.9	7.9
	141＋950—163＋715	黏土	最小值	9.6	1.66	1.38	0.587	48.3	2.72	27.1	17.3	9.8
			最大值	34.7	1.99	1.72	1.007	100.0	2.77	42.4	22.1	21.1
			组数	14	14	14	11	11	11	6	6	6
			算术平均值	21	1.86	1.54	0.782	77.9	2.74	36.6	20.3	16.2
			平均值	21.4	1.86	1.45	0.902	77.9	2.74	36.6	20.3	16.2
		砂壤土	最小值	14.5	1.72	1.46	0.619	53.5	2.71	26.3	16.7	6.8
			最大值	25.5	2.01	1.67	0.874	89.5	2.74	35.9	21.6	16.1
			组数	17	17	17	14	14	12	10	10	10
			算术平均值	18.7	1.86	1.56	0.745	71.8	2.73	30.2	19.1	11.1
			平均值	18.7	1.86	1.51	0.811	71.8	2.73	30.2	19.1	11.1
		砂壤土	最小值	11.6	1.68	1.48	0.780	39.9	2.68	—	—	—
			最大值	16.2	1.72	1.51	0.817	53.3	2.69	—	—	—
			组数	2	2	2	2	2	2			
			算术平均值	—	—	—	—	—	—			
			平均值	—	—	—	—	—	—			

颗粒分析(%)						力学性质				渗透系数
						压缩		三轴(uu)		K_{20}
>0.25 mm	$0.25\sim$ 0.10mm	$0.10\sim$ 0.075mm	$0.075\sim$ 0.05mm	$0.05\sim$ 0.005mm	<0.005 mm	压缩系数 α_{v1-2} (MPa^{-1})	压缩模量 E_{sl-2} (MPa)	凝聚力 C_u (kPa)	摩擦角 Φ_u (°)	(cm/s)
—	—	—	—	—	—	0.211	2.767	22.0	2.0	—
—	—	—	—	—	—	0.687	9.549	26.0	3.8	—
—	—	—	—	—	—	3	3	2	2	
—	—	—	—	—	—	0.454	5.514	—	—	
—	—	—	—	—	—	0.454	5.514	—	—	
—	—	7.3	5.9	62.1	12.2	0.230	3.513	41.0	11.0	1.10×10^{-6}
—	—	12.4	17.1	71.2	21.2	0.586	7.200	41.0	11.0	1.20×10^{-4}
—	—	4	7	7	7	4	4	1	1	6
—	—	10.2	10.7	66.8	16.7	0.413	4.965	—	—	5.66×10^{-5}
—	—	10.2	10.7	66.8	16.7	0.413	4.965	—	—	8.28×10^{-5}
—	—	—	6.0	91.9	2.1	—	—	—	—	—
0.1	3.1	9.3	4.6	36.4	4.7	—	—	—	—	1.60×10^{-5}
0.1	6.4	31.1	24.9	60.1	23.3	—	—	—	—	1.70×10^{-4}
1	3	4	4	4	4	—	—	—	—	4
0.1	5.1	18.2	16.7	47.9	13.4	—	—	—	—	7.28×10^{-5}
0.1	5.1	18.2	16.7	47.9	13.4	—	—	—	—	1.23×10^{-4}
—	—	10.2	6.1	58.2	25.5	0.156	2.998	13.0	4.1	7.00×10^{-6}
—	—	10.2	6.1	58.2	25.5	0.646	10.533	71.0	18.7	7.00×10^{-6}
—	—	1	1	1	1	11	11	7	7	1
—	—	10.2	6.1	58.2	25.5	0.320	6.366	33.9	10.0	—
—	—	10.2	6.1	58.2	25.5	0.320	6.366	20.3	6.7	—
—	2.8	5.9	3.5	51.0	8.3	0.208	3.962	11.0	1.7	1.10×10^{-7}
—	2.8	10.8	11.5	77.5	37.7	0.435	8.118	116.0	23.8	6.60×10^{-4}
—	1	8	8	8	8	7	7	6	6	12
—	2.8	7.9	7.2	60.4	24.2	0.333	5.664	48.8	9.5	9.29×10^{-5}
—	2.8	8.1	7.0	61.7	22.8	0.333	5.664	29.8	5.4	3.00×10^{-4}
—	—	1.0	11.0	67.2	4.1	0.100	8.650	—	—	9.04×10^{-5}
—	—	1.0	28.7	83.0	5.0	0.210	17.800	—	—	2.29×10^{-4}
—	—	1	2	2	2	2	2	—	—	2
—	—	—	—	—	—	—	—	—	—	—
—	—	—	—	—	—	—	—	—	—	—

部位	桩号	土类型	统计	天然基本物理指标					物理指标			
				含水量（%）	湿密度（g/cm³）	干密度（g/cm³）	孔隙比	饱和度（%）	比重	液限（%）	塑限（%）	塑性指数
左堤	163＋715－174＋726	黏土	最小值	22.2	1.82	1.49	0.668	72.0	2.72	33.1	18.6	14.5
			最大值	25.1	2.04	1.63	0.839	100.0	2.74	42.1	23.0	19.1
			组数	4	4	4	4	4	2	3	3	3
			算术平均值	23.7	1.90	1.54	0.772	83.7	2.73	37.6	20.8	16.8
			平均值	23.7	1.90	1.49	0.829	83.7	2.73	37.6	20.8	16.8
		壤土	最小值	10.7	1.48	1.19	0.644	31.2	2.70	25.2	14.8	6.0
			最大值	36.3	1.99	1.65	1.294	97.0	2.75	41.0	23.2	19.3
			组数	28	28	28	24	24	26	18	18	18
			算术平均值	20.6	1.83	1.52	0.802	69.2	2.72	30.2	18.3	11.8
			平均值	20.6	1.83	1.42	0.924	69.2	2.72	30.2	18.3	11.8
		粉土		10.5	1.58	1.43	0.874	32.2	2.68	—	—	—
		砂壤土	最小值	8.4	1.47	1.36	0.804	23.0	2.69	—	—	—
			最大值	26.0	1.90	1.51	0.984	88.0	2.72	—	—	—
			组数	2	2	2	2	2	2	—	—	—
			算术平均值	—	—	—	—	—	—	—	—	—
			平均值	—	—	—	—	—	—	—	—	—
		粉砂		8.6	1.68	1.55	0.740	31.3	2.69	—	—	—
	174＋726－191＋000	黏土	最小值	21.2	1.65	1.33	0.728	57.6	2.72	38.6	20.6	17.9
			最大值	29.8	1.94	1.58	1.078	97.8	2.77	40.3	22.9	20.3
			组数	7	7	7	7	7	5	4	4	4
			算术平均值	24	1.82	1.46	0.882	77.9	2.74	40.5	21.9	18.6
			平均值	24.3	1.82	1.36	1.014	77.9	2.74	40.5	21.9	18.6
		壤土	最小值	16.8	1.78	1.47	0.642	66.6	2.71	23.2	16.5	5.9
			最大值	26.6	2.01	1.67	0.864	93.5	2.74	41.1	26.0	15.4
			组数	13	13	13	12	12	10	10	10	10
			算术平均值	21	1.94	1.60	0.706	81.6	2.72	29.3	19.0	10.3
			平均值	21.2	1.94	1.54	0.765	81.6	2.72	29.3	19.0	10.3
		砂壤土	最小值	7.9	1.46	1.32	0.723	21.5	2.69	—	—	—
			最大值	24.9	1.95	1.56	1.038	92.6	2.69	—	—	—
			组数	3	3	3	3	3	3	—	—	—
			算术平均值	14.5	1.62	1.41	0.916	47.2	2.69	—	—	—
			平均值	14.5	1.62	1.34	1.013	47.2	2.69	—	—	—

| 颗粒分析(%) | | | | | | 力学性质 | | | | 渗透系数 K_{20} (cm/s) |
| | | | | | | 压缩 | | 三轴(uu) | | |
>0.25 mm	0.25~0.10mm	0.10~0.075mm	0.075~0.05mm	0.05~0.005mm	<0.005 mm	压缩系数 α_{v1-2} (MPa^{-1})	压缩模量 E_{s1-2} (MPa)	凝聚力 C_u (kPa)	摩擦角 $\varPhi_u$ (°)	
—	—	5.8	2.2	44.9	34.6	0.259	3.396	14.0	2.6	2.50×10^{-7}
—	—	7.1	5.1	53.2	44.3	0.539	6.657	38.0	9.9	8.80×10^{-7}
—	—	3	3	3	3	3	3	3	3	2
—	—	6.5	4.1	50.3	39.1	0.433	4.568	27.7	5.4	—
—	—	6.5	4.1	50.3	39.1	0.433	4.568	14.0	3.2	—
0.1	6.6	3.5	3.5	32.4	11.6	0.144	2.840	12.0	2.2	1.90×10^{-7}
0.1	13.1	19.7	22.6	80.6	37.8	0.610	11.956	43.0	32.2	4.30×10^{-3}
2	2	19	21	21	21	14	14	9	9	15
0.1	9.9	8.5	9.2	59.2	23.0	0.314	6.657	28.2	10.2	3.18×10^{-4}
0.1	9.9	8.5	9.2	59.2	23.0	0.314	6.657	17.3	5.6	4.30×10^{-3}
—	—	2.0	30.0	65.0	3.0	0.310	6.050	—	—	2.14×10^{-4}
—	—	4.6	8.7	67.1	6.0	—	—	—	—	2.29×10^{-4}
—	—	4.6	18.5	75.5	19.6	—	—	—	—	2.29×10^{-4}
—	—	1	2	2	2	—	—	—	—	1
—	—	—	—	—	—	—	—	—	—	—
—	1.1	30.7	34.6	32.7	0.9	—	—	—	—	8.60×10^{-4}
—	—	2.2	2.5	47.6	38.1	0.360	2.360	17.0	2.4	2.50×10^{-7}
—	—	4.8	8.6	51.1	45.1	0.790	4.877	73.0	4.4	4.80×10^{-4}
—	—	2	2	2	2	5	5	3	3	3
—	—	3.5	5.6	49.4	41.6	0.540	3.769	46.0	3.2	1.97×10^{-4}
—	—	3.5	5.6	49.4	41.6	0.540	3.769	17.0	2.6	4.80×10^{-4}
—	3.9	8.2	5.6	42.1	13.2	0.131	4.913	19.0	3.2	7.40×10^{-7}
—	4.4	20.9	33.0	66.0	35.6	0.368	12.636	30.0	6.4	1.10×10^{-4}
—	3	7	8	8	8	8	8	2	2	6
—	4.1	13.2	14.4	52.8	19.8	0.212	9.260	—	—	2.21×10^{-5}
—	4.1	13.2	14.4	52.8	19.8	0.212	9.260	—	—	1.10×10^{-4}
—	—	39.0	15.0	39.9	6.1	—	—	—	—	9.90×10^{-6}
—	—	39.0	40.0	53.0	7.0	—	—	—	—	9.90×10^{-6}
—	—	1	2	2	2	—	—	—	—	1
—	—	39.0	27.5	46.5	6.6	—	—	—	—	—
—	—	39.0	27.5	46.5	6.6	—	—	—	—	—

4.00×10^{-3} cm/s,属微—中透水性。

(2)砂壤土:褐黄色,稍湿—湿,松散—中密,局部含钙质结核和贝壳,局部粉粒含量亦高,土体干密度 $1.52 \sim 1.66$ g/cm³,渗透系数 9.20×10^{-5} cm/s,属微透水性。

根据击实试验成果,该段堤身土最大干密度为1.77g/cm³,压实度按0.92考虑,则筑堤土质量控制干密度应为 1.63g/cm³;根据土工试验成果,参加统计的19组数据中,堤身土体干密度大于质量控制干密度值的占15.8%。堤身土体干密度平均值、小值平均值分别为1.58、1.50g/cm³,即分别低于质量控制干密度值3.1%、8.0%,而最小干密度为1.32 g/cm³,低于质量控制干密度值19.0%。

此段堤防工程质量判定为Ⅱ₂~Ⅱ₃类。据物探成果,堤身与基础接触面附近土体的纵波速度为230m/s。

5. 桩号 132+958—141+950

堤身土体主要为壤土、砂壤土、黏土、粉土,各约占该段统计厚度的比例为:壤土占58%,砂壤土占20%,黏土占18%,粉土占4%。

(1)壤土:褐色—棕红色,硬塑—可塑状,含贝壳,以轻粉质和中粉质壤土为主,含少量重粉质壤土。土体干密度 $1.32 \sim 1.75$ g/cm³,压缩系数为 $0.230 \sim 0.586$ MPa⁻¹,为中—高压缩性土,渗透系数 $1.10 \times 10^{-6} \sim 1.20 \times 10^{-4}$ cm/s,属微—中透水性土。

(2)砂壤土:褐黄色,稍湿—湿,疏松—稍密,含钙质结核,以轻砂壤土为主,土体干密度 $1.49 \sim 1.57$ g/cm³,渗透系数 $1.60 \times 10^{-5} \sim 1.70 \times 10^{-4}$ cm/s,属微—弱透水性土。

(3)黏土:褐红、棕红、局部灰色,硬塑—可塑状,含贝壳,土体干密度 $1.34 \sim 1.44$ g/cm³,压缩系数 $0.211 \sim 0.687$ MPa⁻¹,为中—高压缩性土。

(4)粉土:褐黄色,稍湿—湿,疏松—稍密。

根据击实试验成果,堤身土最大干密度为1.68g/cm³,压实度按0.92考虑,则筑堤土质量控制干密度应为1.55g/cm³;根据土工试验成果,参加统计的17组数据中,堤身土体干密度大于质量控制干密度值的占17.7%。该段天然干密度平均值、小值平均值分别为1.48、1.43g/cm³,即分别低于质量控制干密度值4.5%、7.7%,而最小干密度为1.32 g/cm³,低于质量控制干密度值14.8%。堤身下部土体质地较松散。

该段堤防工程质量基本可判定为Ⅱ₂类。

6. 桩号 141+95—163+715

堤身土体主要为壤土、黏土、砂壤土,各占该段土层厚度的比例分别为:壤土占50%,黏土占45%,砂壤土占5%。

(1)壤土:褐色,局部灰色,硬塑—可塑状,以重粉质壤土为主,局部为中粉质和轻粉质壤土,干密度 $1.46 \sim 1.67$ g/cm³,压缩系数 $0.208 \sim 0.435$ MPa⁻¹,为中等压缩性土,渗透系数 $1.10 \times 10^{-7} \sim 6.60 \times 10^{-4}$ cm/s,属极微—中等透水性。

(2)黏土:褐色、棕红色及灰色,硬塑—可塑状,含贝壳及植物腐根。干密度 $1.38 \sim 1.72$ g/cm³,压缩系数 $0.156 \sim 0.646$ MPa⁻¹,为中—高压缩性土,渗透系数 7.00×10^{-6} cm/s,属微透水性。

(3)砂壤土:褐黄色,稍湿,中密。干密度 $1.48 \sim 1.51$ g/cm³,压缩系数 $0.100 \sim 0.210$ MPa⁻¹,为中压缩性土,渗透系数 $9.04 \times 10^{-5} \sim 2.29 \times 10^{-4}$ cm/s,属弱—中等透水性。

根据击实试验成果,堤身土最大干密度平均值为1.71g/cm³,压实度按0.92考虑,则筑堤土质量控制干密度应为1.57g/cm³;根据土工试验成果,参加统计的33组数据中,堤身土体干密度大于质量控制干密度值的占48.5%。该段堤身土体干密度平均值、小值平均值分别为1.53、1.48 g/cm³,即分别低于质量控制干密度值2.6%、5.7%,而最小干密度为1.38g/cm³,低于质量控制干密度值12.1%。堤身土体干密度相对较高。

该段堤身土体质量可判定为$Ⅱ_2$类。

7. 桩号163+715—174+726

堤身土体主要为壤土、黏土、粉砂、粉土、砂壤土。各占该段土层厚度的比例分别为:壤土占76%,黏土占10%,粉砂占4%,粉土占6%,砂壤土占4%。

(1)壤土:褐色,局部灰色,硬塑—可塑状,以重粉质壤土为主,局部为中粉质壤土,干密度1.19~1.65g/cm³,压缩系数0.144~0.610MPa^{-1},为中—高压缩性土,渗透系数1.90×10^{-7}~4.30×10^{-3}cm/s,属极微—中等透水。

(2)黏土:褐红—棕红色,硬塑—可塑壮,含贝壳,大多粉质含量较高,干密度1.49~1.63 g/cm³;压缩系数0.259~0.539MPa^{-1},为中—高压缩性土,渗透系数2.50×10^{-7}~8.80×10^{-7}cm/s,属极微透水性。

(3)粉砂:褐黄色,稍湿,疏松—稍密,干密度1.5g/cm³,占击实后最大干密度的95%,渗透系数8.60×10^{-4}cm/s,属中等透水。

(4)粉土:褐黄色,稍湿,松散—中密,干密度1.43g/cm³,渗透系数2.14×10^{-4}cm/s,属中等透水性。

(5)砂壤土:褐黄色,稍湿,中密。干密度1.36~1.51g/cm³,渗透系数2.29×10^{-4}cm/s,属中等透水。

据击实试验成果,该段堤身土最大干密度平均值为1.71g/cm³,压实度按0.92考虑,则筑堤土质量控制干密度应为1.57g/cm³;根据土工试验成果,参加统计的36组数据中,天然干密度大于质量控制干密度值的占25%。该段天然干密度平均值、小值平均值分别为1.52、1.42g/cm³,即分别低于质量控制干密度值3.2%、9.6%,而最小干密度为1.19g/cm³,低于质量控制干密度值24.2%。堤身土体干密度相对较低。

据物探成果,堤身与基础接触面附近土体的纵波速度一般为260m/s,最小波速180m/s。

该段堤防工程堤身土体质量可判定为$Ⅱ_2$~$Ⅱ_3$类。

8. 桩号174+726—191+000

堤身土体主要为壤土、黏土、砂壤土。各占该段土体厚度的比例为:壤土61%,黏土29%,砂壤土10%。

(1)壤土:褐色,局部灰色,硬塑—可塑,局部为软塑,粉粒含量较高。干密度1.47~1.67 g/cm³,压缩系数0.131~0.368MPa^{-1},为中压缩性土,渗透系数7.40×10^{-7}~1.10×10^{-4}cm/s,属极微—中等透水性。

(2)黏土:棕红色—褐色,局部灰色,硬塑—可塑—软塑状。干密度1.33~1.58g/cm³。压缩系数0.360~0.790MPa^{-1},为中—高压缩性土,渗透系数2.50×10^{-7}~4.80×10^{-4}cm/s,属极微—中等透水。

(3)砂壤土:褐黄色,稍湿,中密。干密度1.36~1.51g/cm³,渗透系数9.90×10^{-6}

cm/s,属微透水性。

根据击实试验成果,该段堤身土最大干密度平均值为 1.60g/cm³,压实度按 0.92 考虑,则筑堤土质量控制干密度应为 1.50g/cm³;根据土工试验成果,参加统计的 23 组数据中,堤身土体干密度大于质量控制干密度值的占 69.6%。该段堤身土体干密度平均值、小值平均值分别为 1.49、1.41 g/cm³,即分别低于质量控制干密度值 1.0%、6.0%,而最小干密度为 1.32g/cm³,低于质量控制干密度值 12.0%。堤身土体干密度相对较高。仅在桩号 180 + 000 ~ 183 + 500 相对松散,干密度一般为 1.33g/cm³。

该堤段堤身土体质量可判定为 $Ⅱ_1 ~ Ⅱ_2$ 类。

综上所述,漳卫新河左堤堤身岩性组成不均一,为壤土、砂壤土、黏土,以及粉土、粉砂。堤身土体干密度变化大,为 1.18 ~ 1.79 g/cm³。多为中压缩性土,局部为高压缩性土。黏性土一般呈弱透水,砂壤土、粉土、粉砂一般呈中等透水。

由于土质不均一,碾压质量较差,堤身土体干密度变化大,堤身土体质地相对松散。

对堤身进行稳定复核,其堤身土体主要物理力学性质指标,设计可按表 4 - 2 - 7、表 4 - 2 - 8选取。

表 4 - 2 - 8 　　　　　　　　左堤堤身土体主要物理力学性质指标建议值

段次	桩号	岩性	干密度 (g/cm³)	凝聚力 (kPa)	内摩擦角 (°)	渗透系数 (cm/s)
(1)	42 + 500— 79 + 010	黏土	1.39	6	7	1.60×10^{-5}
		壤土	1.41	20	5	8.52×10^{-5}
		粉土	1.45	4	10	8.50×10^{-4}
		砂壤土	1.36	10	10	3.50×10^{-4}
(2)	79 + 010— 99 + 720	黏土	1.41	9	7	3.50×10^{-5}
		壤土	1.42	10	5	7.10×10^{-5}
		砂壤土	1.37	10	10	2.25×10^{-4}
		黏土	1.31	8	8	6.30×10^{-5}
(3)	99 + 720— 123 + 100	壤土	1.45	6	10	1.75×10^{-4}
		砂壤土	1.34	20	10	2.05×10^{-4}
		黏土	1.59	17	17	3.50×10^{-5}
(4)	123 + 100— 132 + 958	壤土	1.45	14	10	4.00×10^{-3}
		砂壤土	1.55	10	10	9.20×10^{-4}
(5)	132 + 958— 141 + 950	黏土	1.36	10	5	3.50×10^{-5}
		壤土	1.44	10	5	8.28×10^{-5}
		砂壤土	1.50	3	15	1.23×10^{-4}

段次	桩号	岩性	干密度 (g/cm³)	凝聚力 (kPa)	内摩擦角 (°)	渗透系数 (cm/s)
(6)	141+950—163+715	黏土	1.45	20	8	3.50×10^{-5}
		壤土	1.51	10	10	3.00×10^{-4}
		砂壤土	1.48	3	15	2.29×10^{-4}
(7)	163+715—174+726	黏土	1.49	14	5	8.80×10^{-7}
		壤土	1.42	17	10	4.3×10^{-3}
		粉土	1.43	2	12	2.14×10^{-4}
		砂壤土	1.36	3	10	2.29×10^{-4}
		粉砂	1.55	1	13	8.60×10^{-4}
(8)	174+726—191+000	黏土	1.36	17	5	4.80×10^{-4}
		壤土	1.54	10	10	1.10×10^{-4}
		砂壤土	1.34	3	10	9.90×10^{-4}

注:由于土质不均,选取参数主要以统计值的小值或大值平均值为依据。

由上述两工程实例不难看出:

(1)在勘察工作设计时,首先将地质体(堤基)和工程体(堤身)区分开来,再考虑勘察手段的有力组合。

(2)利用反衍思路,找出控制工程体质量的物理力学指标,再为论述其物理力学指标上详细设计勘察方法。

第三章　堤防工程物理勘探

第一节　地质概况和地球物理特征

堤防地基为第四系全新统冲洪积地层,岩性以粉细砂为主,近下游段出现黑色淤泥质黏土夹层,层厚 0.7～2.0m。

堤身为人工就地取土填筑而成,主要由粉细砂(中下游段)、砂卵砾石(上游段)等组成。而险工段在迎水坡铺设浆砌石护坡(厚度 40cm——原设计标准),浆砌石护坡基础为铅丝石笼,铅丝石笼向河床方向延伸约 8.0m,在滩地埋深 4.0～6.0m。介质构成复杂多变,分布不均,且处于包气带中,呈干燥状态。

地下水位埋深(自地表计):上游约 20.0m,至下游逐渐变浅,约 2.0m。

综上所述,由于此次物探测区范围较大,堤防各岩性层的空间变化具有较大差异,加之堤身介质组成复杂多变,致使测区地球物理特征复杂。根据实测结果及收集到的地勘资料,综合分析测区内岩性层的物性参数见表 4－3－1。

表 4－3－1　　　　　　　　　　　　岩层物性参数

岩性	相对介电常数	雷达波速(m/ns)	电阻率(Ω·m)	纵波速度(m/s)	备注
粉细砂	7.4～14	0.08～0.11	60～600	200～350	堤身堆筑物(中下游段)
粉细砂	9～18	0.07～0.10	30～70	870～1 800	堤基介质(潮湿)
砂卵砾石	5～11	0.09～0.13	300～5 000	830～900	堤体堆筑物(上游段)
浆砌石	4～9	0.10～0.15	600～10 000	2 800～4 000	险工段护坡

由表 4－3－1 可知:浆砌石、堤身粉细砂(或砂卵砾石)和堤基粉细砂之间具有电磁、电性和弹性差异,具备综合物探的物理前提;各类堤防隐患与正常堤防介质具有一定的电磁、电性等差异,可用地质雷达、高密度电阻率法、电测深法、中间梯度剖面法等进行探测。结合原位和室内土工试验,以准定量或半定量评价堤身土体质量。但某些不均质体的规模与其埋深之比太小,在物探曲线上反映不明显,难于准确地划分;同时,由于环境等背景干扰对雷达和电阻率法或地震原始记录质量会有一定影响。因此,在实地操作和解译工作中应予以注意。

第二节　工作方法

一、测线布置及测量工作

(一)测线布置

按照要求将堤防分为险工段和非险工段,其中险工段测线分布列于表中,其余堤段均为非险工段。

依任务要求和区别对待的原则,沿堤顶迎水面(包括险工段和非险工段)按1:2 000比例尺精度布置纵剖面,而横剖面只在险工段按1:1 000比例尺精度布置(出图比例尺1:200),现分述如下。

1.纵剖面布置

(1)沿堤顶迎水面布置1个纵剖面,并全线实施地质雷达探测,选用天线的中心频率为50MHz。对于险工段,又在堤顶背水侧和迎水面坡脚各布置1条纵剖面,选用天线的中心频率为250MHz。非险工段记录点距0.5m,险工段记录点距0.2m。

(2)在地质雷达探测的基础上,有目的地选择部分堤段,且沿堤顶迎水面分别进行高密度电阻率法、电测深法、中间梯度电剖面法、地震折射法等物探方法。

高密度电阻率法:基本点距为2~3m。

电测深法:点距为5m。

中间梯度电剖面法:点距为2m。

地震折射法:检波点距为5m。

2.横剖面布置

主要在险工段布设,且横剖面数依险工段长度而定。当单一险工段长度小于100m时,布置1~2条;当单一险工段长度大于100m时,布置3~4条。其长度一般为50~80m。横剖面仅实施地质雷达探测,选用天线的中心频率为250MHz和50MHz联合测试,记录点距为0.05m或0.20m。

二、物探方法

(一)地质雷达

测试仪器为瑞典MALA地质仪器有限公司生产的RAMAC/GPR雷达系统,视不同探测目标选用中心频率为50MHz和250MHz的天线,发射和接收天线间距分别为2.0m和0.6m。实测采用剖面法,且收发天线方向与测线方向平行。地质雷达主要工作参数见表4-3-2。

表4-3-2 地质雷达工作参数设置

工作对象	天线主频 (MHz)	天线间隔 (m)	记录点距 (m)	采样频率 (MHz)	采样点数	记录时窗 (ns)
非险工段	50	2.0	0.5	1 092	512	470
浆砌石	250	0.6	0.2	3 220	512	160
险工段	50 和 250	2.0 和 0.6	0.2	1 092 和 3 220	512	470 和 160
横测线	50 和 250	2.0 和 0.6	0.2 和 0.05	1 092 和 3 220	512	470 和 160

(二)电法勘探

测试仪器为重庆奔腾自动化研究所生产的 WDJD-1 型多功能电测仪 2 台和

WGMD－1型多功能电测仪 1 台及其附属设备。实测方法为高密度电法、电测深法和中间梯度剖面法。

高密度电法选用温纳尔装置，基本点距为 2～3m，电极隔离系数为 9～12。

电测深法选用 $MN/AB = 1/5$ 的对称四极等比装置，最小供电极距 $(AB/2)_{min} = 1.5m$，最大供电极距 $(AB/2)_{max} = 45.0m$。电极距变化序列见表 4－3－3。

表 4－3－3　　　　　　　　　　　　电测深极距序列

序号	1	2	3	4	5	6	7	8	9
$AB/2(m)$	1.5	2.5	4.0	6.0	9.0	13.0	20.0	30.0	45.0
$MN/2(m)$	0.3	0.5	0.8	1.2	1.8	2.6	4.0	6.0	9.0

中间梯度剖面法采用供电极距 $AB = 60m$，测量极距 $MN = 4m$，测点距为 2m。

（三）地震勘探

测试仪器为美国乔美特利公司生产的 Strata View^{TM}－R24 型数字化工程地震仪以及与之配套的专用电缆和频率为 38Hz 的检波器等，采用锤击震源，测试方法为初至折射波法。

实测采用相遇时距曲线完整对比观测系统（图 4－3－1），道间距 5.0m，排列长度 55.0m，最小偏移距 2.5m，追逐偏移距 15.0m。

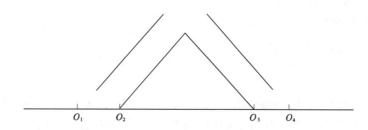

图 4－3－1　折射波法观测系统

R24 地震仪的设置参数见表 4－3－4。

表 4－3－4　　　　　　　　　　　　地震仪参数设置

工作方法	Strata View^{TM}－R24 工作参数					
	滤波方式	频率(Hz)	延时(ms)	采样率(ms)	时窗(ms)	增益(dB)
初至折射波法	带通	70～250	0	0.25	256	浮点放大

三、土工试验

为准定量或半定量地评价堤身土体质量，在地球物理勘探的同时，对堤身土体进行原位和室内土工试验。

各堤段采用的测试方法见表 4－3－5。

表 4 - 3 - 5　　　　　　　　　　　各堤段采用测试方法分布

岸别	桩号	长度(m)	物探方法
左堤	0 + 000—7 + 045	7 045	地质雷达
左堤	7 + 045—7 + 100	55	地质雷达、地震折射、密度试验
左堤	7 + 100—8 + 800	1 700	地质雷达
左堤	8 + 800—9 + 409	609	地质雷达、高密度电法
左堤	9 + 409—10 + 274	865	地质雷达
左堤	10 + 274—10 + 600	326	地质雷达、中间梯度
左堤	10 + 600—11 + 913	1 313	地质雷达
左堤	11 + 913—12 + 000	87	地质雷达、高密度电法
左堤	12 + 000—12 + 435	435	地质雷达
左堤	12 + 435—12 + 750	315	地质雷达、电测深
左堤	12 + 750—13 + 313	563	地质雷达
左堤	13 + 313—14 + 009	696	地质雷达、高密度电法
左堤	14 + 009—15 + 000	901	地质雷达
左堤	15 + 000—15 + 230	230	地质雷达、高密度电法
左堤	15 + 230—15 + 285	55	地质雷达、高密度电法、地震折射、密度试验
左堤	15 + 285—15 + 580	295	地质雷达、高密度电法
左堤	15 + 580—15 + 600	20	地质雷达
左堤	15 + 600—15 + 820	220	地质雷达、中间梯度
左堤	15 + 820—15 + 984	164	地质雷达
左堤	15 + 984—16 + 004	20	地质雷达、中间梯度
左堤	16 + 004—16 + 300	296	地质雷达
左堤	16 + 300—16 + 400	100	地质雷达、电测深
左堤	16 + 400—20 + 200	3 800	地质雷达
左堤	20 + 200—20 + 468	268	地质雷达、中间梯度
左堤	20 + 468—20 + 958	490	地质雷达
左堤	20 + 958—21 + 045	87	地质雷达、中间梯度
左堤	21 + 045—21 + 100	55	地质雷达、中间梯度、地震折射、密度试验
左堤	21 + 100—21 + 184	84	地质雷达、中间梯度
左堤	21 + 184—21 + 300	116	地质雷达、高密度电法
左堤	21 + 300—21 + 400	100	地质雷达

岸别	桩号	长度(m)	物探方法
左堤	21+400—21+600	200	地质雷达、电测深
左堤	21+600—26+730	5 130	地质雷达
左堤	26+730—26+995	265	地质雷达、电测深
左堤	26+995—27+500	505	地质雷达
左堤	27+500—27+560	60	地质雷达、电测深
左堤	27+560—27+840	280	地质雷达
左堤	27+840—28+080	240	地质雷达、中间梯度、地震折射
左堤	28+080—28+256	176	地质雷达、中间梯度
左堤	28+256—29+140	884	地质雷达
左堤	29+140—29+488	348	地质雷达、高密度电法
左堤	29+488—29+560	72	地质雷达
左堤	29+560—30+066	506	地质雷达、中间梯度
左堤	30+066—30+560	494	地质雷达
左堤	30+560—30+678	118	地质雷达、高密度电法
左堤	30+678—30+788	110	地质雷达
左堤	30+788—31+045	257	地质雷达、中间梯度
左堤	31+045—31+200	155	地质雷达、中间梯度、地震折射
左堤	31+200—31+240	40	地质雷达、中间梯度
左堤	31+240—31+258	18	地质雷达
左堤	31+258—31+494	236	地质雷达、中间梯度
左堤	31+494—32+368	874	地质雷达
左堤	32+368—32+538	170	地质雷达、高密度电法
左堤	32+538—32+600	62	地质雷达、高密度电法、中间梯度
左堤	32+600—32+640	40	地质雷达、中间梯度
左堤	32+640—32+702	62	地质雷达、电测深、中间梯度、地震折射
左堤	32+702—32+860	158	地质雷达、电测深、地震折射
左堤	32+860—32+956	96	地质雷达、地震折射
左堤	32+956—33+194	238	地质雷达、高密度电法、地震折射
左堤	33+194—33+560	366	地质雷达、地震折射
左堤	33+560—38+945	5 385	地质雷达
左堤	38+945—39+055	110	地质雷达、地震折射、密度试验
左堤	39+055—39+800	708	地质雷达、高密度电法

岸别	桩号	长度（m）	物探方法
左堤	39＋800—40＋200	400	地质雷达
左堤	40＋200—40＋400	200	地质雷达、电测深
左堤	40＋400—44＋400	4 000	地质雷达
左堤	44＋400—44＋600	200	地质雷达、中间梯度
左堤	44＋600—44＋640	40	地质雷达
左堤	44＋640—44＋994	354	地质雷达、高密度电法
左堤	44＋994—48＋145	3 151	地质雷达
左堤	48＋145—48＋240	95	地质雷达、地震折射、密度试验
左堤	48＋240—48＋255	15	地质雷达、高密度电法、地震折射、密度试验
左堤	48＋255—48＋595	340	地质雷达、高密度电法
左堤	48＋595—52＋750	4 155	地质雷达
左堤	52＋750—53＋061	311	地质雷达、高密度电法
左堤	53＋061—53＋125	64	地质雷达
左堤	53＋125—53＋502	377	地质雷达、高密度电法
左堤	53＋502—53＋542	40	地质雷达
左堤	53＋542—53＋600	58	地质雷达、高密度电法
左堤	53＋600—55＋470	1 870	地质雷达
左堤	55＋470—55＋482	12	地质雷达、电测深
左堤	55＋482—55＋704	222	地质雷达、高密度电法、电测深
左堤	55＋704—55＋748	44	地质雷达、高密度电法、电测深、地震折射
左堤	55＋748—55＋765	17	地质雷达、高密度电法、电测深
左堤	55＋765—55＋898	133	地质雷达、高密度电法
左堤	55＋898—56＋035	137	地质雷达
左堤	56＋035—56＋255	220	地质雷达、地震折射、密度试验
左堤	56＋255—58＋445	2 190	物质雷达
左堤	58＋445—58＋555	110	地质雷达、地震折射、密度试验
左堤	58＋555—62＋300	3 745	地质雷达
右堤	0＋000—1＋495	1 495	地质雷达
右堤	1＋495—1＋550	55	地质雷达、地震折射、密度试验
右堤	1＋550—8＋732	7 218	地质雷达
右堤	8＋732—9＋000	268	地质雷达、中间梯度
右堤	9＋000—9＋130	130	地质雷达

岸别	桩号	长度(m)	物探方法
右堤	9 + 130—9 + 400	270	地质雷达、电测深
右堤	9 + 400—9 + 900	500	地质雷达
右堤	9 + 900—10 + 322	422	地质雷达、中间梯度
右堤	10 + 322—12 + 345	2 023	地质雷达
右堤	12 + 345—12 + 455	110	地质雷达、地震折射、密度试验
右堤	12 + 455—12 + 960	505	地质雷达
右堤	12 + 960—13 + 200	240	地质雷达、中间梯度
右堤	13 + 200—15 + 400	2 200	地质雷达
右堤	15 + 400—15 + 500	100	地质雷达、电测深
右堤	15 + 500—16 + 982	1 482	地质雷达
右堤	16 + 982—17 + 100	118	地质雷达、高密度电法
右堤	17 + 100—23 + 944	6 844	地质雷达
右堤	23 + 944—24 + 015	71	地质雷达、高密度电法
右堤	24 + 015—24 + 070	55	地质雷达、高密度电法、地震折射、密度试验
右堤	24 + 070—26 + 840	2 770	地质雷达
右堤	26 + 840—26 + 870	30	地质雷达、高密度电法
右堤	26 + 870—27 + 000	130	地质雷达、高密度电法、电测深
右堤	27 + 000—27 + 130	130	地质雷达、高密度电法
右堤	27 + 130—27 + 268	138	地质雷达、高密度电法、中间梯度
右堤	27 + 268—27 + 514	246	地质雷达、中间梯度
右堤	27 + 514—28 + 913	399	地质雷达
右堤	28 + 913—29 + 522	609	地质雷达、高密度电法
右堤	29 + 522—30 + 100	578	地质雷达

第三节　资料整理与解释

一、地质雷达

由野外实测所获得的雷达剖面,经滤波、平衡处理后得到清晰的雷达图像。据此全面客观地分析各种雷达波组的特征(如波形、频率、强度等),尤其是反射波的波形及强度特征,通过同相轴的追踪,确定波组的地质意义,建立地质——地球物理解释模型。

地质雷达接收信号强度除与发射信号功率大小有关外,还与地下介质的结构特征和物性参数有关,而反射信号的强度在一定的发射功率下,主要取决于不同介质接触界面的反射系数和穿透介质的衰减系数,其中反射系数主要取决于界面两侧介质的介电常数,而介质的衰减系数与介电常数(平方根成反比)和电导率(平方根成正比)有关。所以,地质雷达资料反映的是地下地层的电磁分布特征(介电常数和电导率),要把地下介质的电磁分布特性转化为地质分布,必须把地质、钻探试验等已知勘察资料与地质雷达资料有机地结合起来,才能获得正确的地下地质结构模式。

根据反射波组的同相性、相似性和波形特征,区分不同地质层(体)的反射波组,并研究它们的相互关系和变化趋势,建立各类波组的地质结构模式,达到地质解译的目的。

就本次勘察对象而言,浆砌石的电导率(电阻率的倒数)和介电常数均最低,使得雷达波速最高,而对电磁波的吸收衰减也最小,在单一频率(250MHz)的雷达图像上表现为强反射,多以较低频、较宽粗的同相轴出现。当浆砌石较薄或其底部与土体分离形成空洞时,该波组的最下部同相轴变化复杂,呈现错断、缺失、不连续或杂乱无章等现象;潮湿粉细砂则由于颗粒较细,含水率较高,其电导率(电阻率的倒数)和介电常数均最大,使得雷达波速最低,故对电磁波表现为强吸收性,在单一频率(50MHz 或 250MHz)的雷达图像中该波组反映为波幅小而细,连续性好;砂卵砾石和干燥粉细砂介于浆砌石和潮湿粉细砂之间,由于砂卵砾石较粉细砂的颗粒粗,所以,砂卵砾石在单一频率(50MHz 或 250MHz)的雷达图像上的表现特征接近于浆砌石,但成层性较差,而干燥粉细砂和潮湿粉细砂只是含水率的变化使得他们的电磁特性具有较大差异,而在单一频率(50MHz 或 250MHz)的雷达图像中表现出不同的特征。另外,雷达波在地下介质传播过程中,当遇到空洞或高阻不均匀体时,将会产生反射,且波长加大、频率变低、强度增高;当遇到松散介质或低阻不均质体时,雷达波形杂乱无章,有时以窄细形同相轴出现,有时无明显规律。此为识别堤防隐患的依据。

由上述分析并结合部分已知资料,对雷达图像进行地质解释,并根据不同探测对象的雷达波速综合值计算其深度。雷达波速综合值的选取依各岩土层的雷达波速结合探测目的来考虑,具体为:堤防险工段浆砌石护险质量探测时,选取雷达波速综合值为 0.10 m/ns;堤身隐患和横测线探测时,选取雷达波速综合值为 0.09m/ns。则此时雷达系统的最小纵向分辨率为:①使用中心频率 50MHz 的天线约 0.5m;②使用中心频率 250MHz 的天线约 0.1m。

图 4 - 3 - 2 为左堤 9 + 638—9 + 721 护险段坡脚雷达测试图像(250MHz)。此图由浅至深解释为:①第一同相轴(< 4ns)为雷达波初始信号。②第二同相轴和第三同相轴(< 12ns,层厚约 0.40m)呈现出宽粗、强振幅,且连续可追踪的水平层状,该同相轴推测为浆砌石在雷达图像上的反映。尤其是第三同相轴有时出现不连续段或缺失或杂乱无章时,即可推定此处浆砌石质量差或与堤身土体分离形成架空等现象。③新人工填土(干燥粉细砂)。反射层位不连续,起伏变化较大,有时杂乱无章,反映该层填土不均匀,层位不稳定,时有透镜体的形式展现,该层厚度为 2 ~ 4m。④老人工填土(相对潮湿粉细砂)。反射层位连续且稳定,层内介质变化不大,反映出该层填土较均匀,已形成相对密实的地层,该层厚度为 1 ~ 3m。⑤自然地层(较潮湿粉细砂)。即堤基持力层,反射明显,层位稳定,未见层内介质突变或不均匀的现象,反映出自然地层沉积环境较好,密实度相对较大等,此层顶面埋深为 4 ~ 5m(自护砌坡脚处地地面起算)。

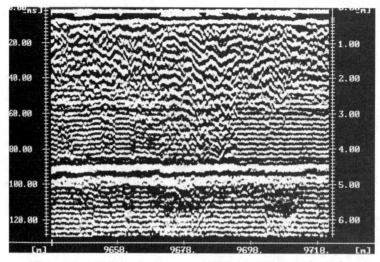

图 4 - 3 - 2　左堤 9 + 638—9 + 721 护险段坡脚雷达图像(250MHz)

　　图 4 - 3 - 3 为左堤 29 + 400—29 + 600 堤顶迎水面雷达测试图像(50MHz)。由图可知:29 + 400—29 + 500 和 29 + 560—29 + 600 两桩号段为正常堤体(粉细砂)的雷达图像,除局部干扰和下部含水率较高影响外,其波形、波宽及强度基本一致,而 29 + 500 ~ 29 + 560 桩号段自堤顶以下,埋深约 4.0m 开始出现强反射,反射波宽粗、波长加大、频率变低,此现象一直延续到埋深约 12.0m,该图像即为高阻不均质体的反映。另外,在埋深约 4.8m 和 11.2m 出现两个强反射同相轴,且波形稳定、连续性好,能长距离追踪。分析认为:埋深约 4.8m 的反射同相轴推测为不同时期填筑堤身粉细砂的分界面,而埋深约 11.2m 的反射同相轴则为人工填筑堤身粉细砂与自然地层(粉细砂)的分界面。

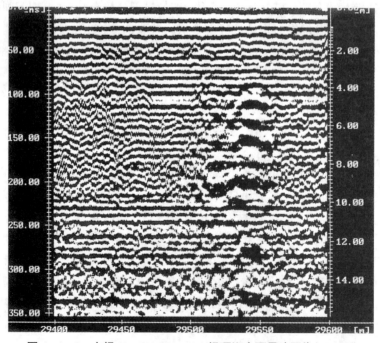

图 4 - 3 - 3　左堤 29 + 400—29 + 600 堤顶迎水面雷达图像(50MHz)

二、电法勘探

(一)高密度电法

由野外采集的数据经编辑、调整后,进一步对曲线或绘图单元进行圆滑等处理,以达到消除干扰、突出异常、提高解释精度之目的。实测数据处理(WYS97H软件)后可获得高密度电法视电阻率断面灰度图(或等值线图),通过对比分析,掌握堤身、堤基介质的视电阻率变化特征及不同电阻率介质层(体)的分布形态,进而判识堤身内部是否有洞穴或其他不良结构现象(体)的存在。当堤身土体质量均匀无空洞、裂缝、土体不均一等异常隐患存在时,视电阻率等值线有规律的均匀分布,近水平层状;当堤身或堤基内有上述类型隐患存在时,则视电阻率等值线将发生变化,表现为成层性差、梯度变化大,出现高阻或低阻闭合圈等异常形态。

就本次测试结果而言,所获得的视电阻率断面灰度图(或等值线图)均客观地反映了测试剖面堤顶以下垂直和水平方向的地质情况。经分析后认为该测区视电阻率断面图可分为以下几种类型。

(1)视电阻率等值线上高下低,层次分明,且水平层状分布,说明堤顶表层粉细砂较干燥密实,视电阻率值一般为 200～400Ω·m;堤身下部粉细砂或堤基粉细砂较潮湿,视电阻率值一般为 30～80Ω·m;中部视电阻率变化梯度较均一。此为正常堤身土体的视电阻率断面反映,如左堤 13＋313—13＋009、32＋368—32＋600、44＋640—44＋994 等,右堤 26＋840—27＋268 等桩号段。该断面特征是此次高密度电法测试剖面的主要类型,如图 4－3－4 所示。

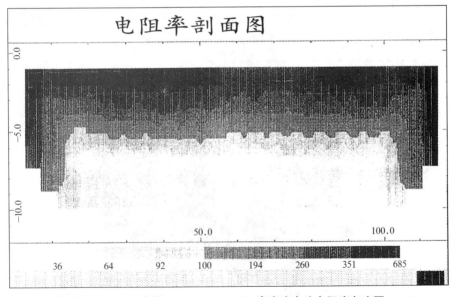

图 4－3－4 左堤 44＋876—44＋994 高密度电法电阻率灰度图

(2)视电阻率等值线上低下高,层次尚分明,基本呈水平层状分布,但表层视电阻率值一般为 100～200Ω·m,此为堤顶较干燥粉细砂的反映,随电极隔离系数的增大视电阻率逐渐升高,至剖面下部视电阻率最高,其值一般为 300～500Ω·m,推测堤身下部或堤基介质由较粗颗粒的砂或砂卵砾石组成,如左堤 8＋800—9＋409 等桩号段。中部视电阻率变化梯度尚均一。该断面也可认为是正常堤体的视电阻率反映,如图4-3-5所示。

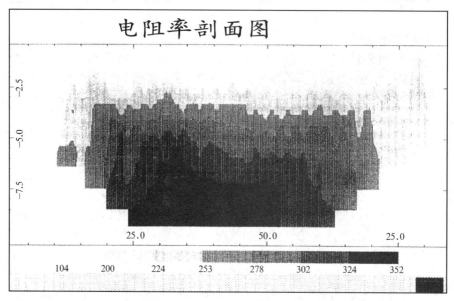

图4-3-5 左堤08+800—08+887高密度电法电阻率灰度图

(3)视电阻率等值线上下低、中间高,层次基本分明,表层视电阻率值一般为200~350Ω·m,此为堤顶较干燥粉细砂的反映,随电极隔离系数的增大视电阻率先升高后变低,剖面中部视电阻率最高,其范围值400~600Ω·m,推测为堤身粉细砂较干燥密实或筑堤介质中含有石料等,剖面下部由于接触到堤基潮湿粉细砂而视电阻率变低,如左堤21+184—21+300等桩号段,如图4-3-6所示。

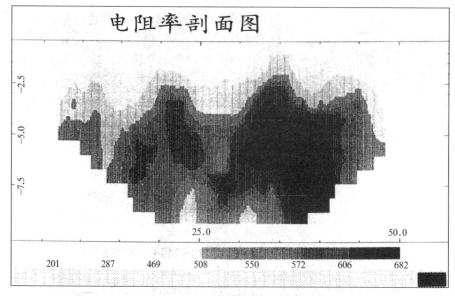

图4-3-6 左堤21+242—21+300高密度电法电阻率灰度图

(4)视电阻率等值线层次较差,出现局部高阻闭合圈,其视电阻率值高达600~1 000

$\Omega \cdot m$,推测此处堤身介质含有大块抛石等高阻不均匀体或洞穴异常,而周围介质多为粉细砂组成,视电阻率值一般为 $100 \sim 300\Omega \cdot m$,随电极隔离系数的增大而受到堤基介质影响时视电阻率开始变低,如左堤 39 + 328—39 + 682 等桩号段,如图 4 - 3 - 7 所示。

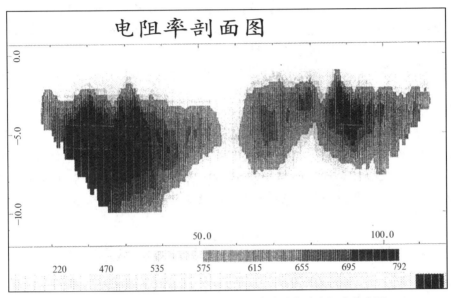

图 4 - 3 - 7　左堤 39 + 446—39 + 564 高密度电法电阻率灰度图

(5)獾洞在视电阻率断面图中表现为相对高阻,其值受周围堤身介质电阻率的影响,有时难以识别(如第 4 种类型),有时较易判别,如左堤 52 + 750—52 + 800 桩号段,堤身土体的电阻率均一且相对较低,其值为 $30 \sim 80\Omega \cdot m$,而獾洞的视电阻率则较高,其值为 $160 \sim 210\Omega \cdot m$,它在灰度图中表现非常明显,如图 4 - 3 - 8 所示。

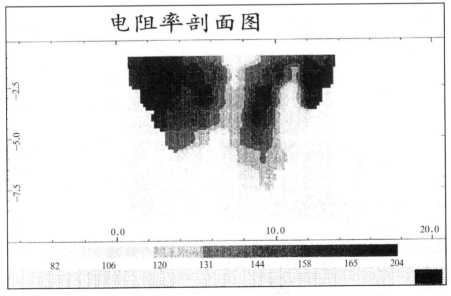

图 4 - 3 - 8　左堤 52 + 750—52 + 800 高密度电法电阻率灰度图

（二）电测深

对原始数据进行编辑和整理,并打印实测数据,确保测试资料及其计算成果的可靠。然后,根据实测资料绘制等视电阻率断面图,掌握视电阻率等值线的起伏变化形态及其地电规律,并判断地质层(体)的分布位置及其空间变化趋势,了解岩土体电阻率的横向变化特征,划分地电断面,区分干扰影响,初步了解地电参数,取得地电断面和地质层(体)变化形态的定性资料,达到判识隐患异常的目的。

电测深曲线类型以 Q 形曲线为主,个别测段出现 K 形曲线,还有少量的 HK 型曲线,这些都相应地反映了堤身或堤基的地质情况。

分析等视电阻率(ρ_s)断面图可归纳为以下剖面形态:

(1)ρ_s 等值线上高下低,表层视电阻率变化相对较大且局部有 V 形高阻出现,中部和下部 ρ_s 等值线分布稀疏,呈水平层状,变化梯度较慢。此为正常堤身土体的 ρ_s 断面反映,如左堤 12 + 435—12 + 750、26 + 730—26 + 995、27 + 500—27 + 560 等,右堤 26 + 870—27 + 000 等桩号段。此形态在测试的堤段中出现最多,如图 4 – 3 – 9 所示。

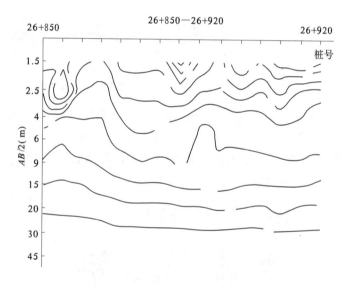

图 4 – 3 – 9　左堤 26 + 850—26 + 920 测段等视电阻率(ρ_s)断面图

(2)ρ_s 等值线上下低、中间高,表层视电阻率值一般为 100 ~ 200Ω·m,中部视电阻率最高,其范围值 400 ~ 600Ω·m,下部视电阻率最低,一般为 40 ~ 100Ω·m,而且该类型剖面中上部 ρ_s 等值线变化相对较大,中部时常出现视电阻率高阻闭合圈,这些测段可能存在堤身介质不均质体,是判断异常的重点测段,如左堤 40 + 200—40 + 400 等桩号段,如图 4 – 3 – 10 所示。

（三）中间梯度剖面

根据实测资料绘制视电阻率曲线图,它主要反映堤顶以下一定深度内堤身或堤基介质的电性特征在水平方向上的变化规律,通过分析 ρ_s 曲线的这种变化规律即可掌握堤身或堤基介质在水平方向上的变化特征,确定正常场的电性参数,达到识别异常并分离异常的目的,由此还可判断异常的可靠程度,判识异常的类型,计算异常的埋深和规模。

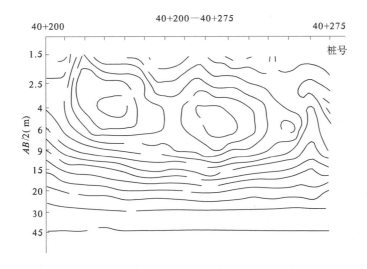

图 4 – 3 – 10　左堤 40 + 200—40 + 275 测段等视电阻率(ρ_s)断面图

当堤身介质均一、无不良地质现象等隐患异常存在时,中间梯度 ρ_s 曲线表现为平坦光滑、起伏变化很小,其视电阻率的离散系数也极小。

当堤身介质存在不均质体等不良地质现象或各类隐患异常时,中间梯度 ρ_s 曲线起伏变化很大,有时表现为高阻,有时表现为低阻,此现象与地下介质或隐患类型一一对应。该测线视电阻率的离散系数也极大。

三、地震勘探

由野外采集到的地震折射波曲线记录,首先进行初至折射波对比,然后用初至自动拾取程序拾取每道的初至时间,并进行调整。应用地震仪内装 SIPQC 处理软件包,把一条测线多个炮点记录拾取的初至数据文件按炮点顺序进行编辑,形成综合时距曲线,通过人工对比时距曲线进行层位划分,即可按照延迟时间法进行解释,求出各速度层的波速及埋深,并经正演计算(即波路计算)来调整解释厚度,以正演与实测时间之差同实测时间之比小于 10% 为最终解释结果。

另外,依据堤身介质的堆积韵律和变化特征,按照均匀分布的原则,在提防上、中、下游等堤段有意识地选择部分测段(左堤 10 处,右堤 3 处),平行地进行了堤身土体的地震波测试和现场土工试验(湿密度),并挖取土样回室内进行同密度的声波波速测试和干密度试验,借以进行对应分析,对堤身土体介质的密实度达到准定量评价的目的。

第四节　成果综述

一、险工段护砌质量探测

该堤防工程共划定险工段 12 处计 23 段,累计长度 10.684km,占提防总长度的 11.6%。为了解各险工段迎水坡旧浆砌石护险工程的护砌质量,采用天线的中心频率 250MHz 的地质雷达系统进行施测,以判定护砌质量的优劣。

险工段迎水坡多为浆砌石护险,个别段为砖砌护坡。根据业主意见和现场探测条件,选择迎水坡与河滩表面的交汇处,且位于浆砌石面上布置测线,沿堤防走向进行连续测试(相对于各险工段)。由处理后的地质雷达剖面图结合已知护险情况,通过综合分析,推定73处浆砌石存在不同程度的隐患,累计长度约1.633km,占全部险工段的15.3%。这些隐患的类型一般为:①浆砌石厚度较薄;②浆砌石与下部土体分离形成架空;③浆砌石胶结不良或松散;④浆砌石出现裂缝等。

护砌整体质量较差的堤段多为年久失修严重,浆砌石与下部堤身土体接触差,多形成架(悬)空状态,造成护砌断裂、塌陷等不良现象较普遍,且多具一定规模。而造成上述现象存在的原因,我们分析后认为浆砌石面存在许多缝隙,且砂浆质量差、少浆,下部又无防渗护层,堤身土体多由粉细砂组成,经降水入渗,粉细砂局部被冲刷淘失,在砌石与堤身土体之间形成空洞,并有继续扩大发展之趋势。

该物探成果经业主开挖验证(图4-3-11),基本符合客观实际,其准确率达80%以上,取得了较好的应用效果。

10+145

29+660

32+698

40+900

图4-3-11　左堤开挖验证

根据护砌坡脚地质雷达测试结果,除对测试区段浆砌石质量评判外,还可划分护砌坡脚浆砌石以下新人工填土(较干燥粉细砂)、老人工填土(较潮湿粉细砂)以及堤基自然地层(潮湿粉细砂)等。这些地层在雷达剖面上的反映具有很大不同,其特征为:①新人工填土(较干燥粉细砂)。反射层位不连续,起伏变化较大,有时杂乱无章,反映该层填土不均匀,层位不稳定,时有透镜体展现,该层厚度2~4m。②老人工填土(较潮湿粉细砂)。反射层位连续且稳定,说明该层介质变化不大、填土较均匀,现已形成相对密实的地层。该层厚度0~3m。③自然地层(潮湿粉细砂)。即堤基持力层。反射明显,层位稳定,未见层内介质突变或不均匀现象,反映出自然地层沉积环境较好,密实度相对较大等。该层顶面埋深为4~5m(自护砌坡脚处的河滩面计算)。

二、堤防隐患探测

该堤防分为左堤和右堤,其中左堤分布桩号 0 + 000—62 + 500,右堤分布桩号 0 + 000—30 + 100。为了解堤防工程存在的隐患或不良地质现象,沿堤顶迎水边布设测线,采用天线中心频率 50MHz 的地质雷达系统对全部堤防进行施测,并选择部分堤段与雷达技术平行地进行了高密度电法、电测深法、中间梯度剖面法等测试,同时在险工段还布置了横测线及堤顶背水边测线以供地质雷达测试。

堤身主要由粉细砂组成(中、下游段),个别区段(上游段)由砂卵砾石构成。依据上述物探方法的测试结果并结合堤防实际和已知情况。

综合对比、分析实测堤防介质的电磁、电性、弹性等特征,共划定出堤防内部呈现凹陷、夹层、不均质体(团块状岩性变化体、透镜体等)、介质相对松散等不良地质现象 39 段(处),累计长度 3.135km,约占堤防总长度的 3.42%。

另外,通过对桩号 55 + 717、55 + 750、55 + 762、55 + 775 等 4 条横测线的地质雷达(250MHz 的天线)连续测试(测试方向自堤顶迎水面至背水侧),均发现向堤内迎水面倾斜的同相轴,且该同相轴在堤顶迎水面处较深,约 3m,至堤顶背水侧逐渐变浅,一般到测试剖面长度的 8～9m 处尖灭。经开挖证实,此同相轴为原堤身土体与堆筑的前戗土体接触部位。此次探测成果未在该段(桩号 55 + 468—55 + 888)堤顶裂缝处发现大堤土体的滑动形迹所造成的异常。

三、堤身土体质量评价

沿堤防分段布置地震测线,进行地震折射波测量,用以划分堤防介质层次,求取各层介质的纵波速度,并结合其它物探方法的探测成果确定相对松散介质或不均质体的情况等。同时,选择 10 处堤段(左堤 7 处,右堤 3 处)又进行了现场密度试验,以准定量或半定量地评价堤身土体的相对密实度。地震折射测试成果详见表 4 - 3 - 6。

表 4 - 3 - 6　　　　　　　　地 震 探 测 成 果

岸别	桩号	第一层		第二层	备　注
		波速(m/s)	厚度（m）	波速（m/s）	
左堤	7 + 045—7 + 100	240	10.0	870	土工试验点
左堤	15 + 230—15 + 285	240	10.0	1 020	土工试验点
左堤	21 + 045—21 + 100	230	9.4	1 320	土工试验点
左堤	27 + 845—28 + 080	280	11.0	1 400	元月份测试
左堤	31 + 045—31 + 220	310	11.2	1 630	元月份测试
左堤	32 + 645—32 + 760	270	10.6	1 350	元月份测试
左堤	33 + 505—33 + 560	310	11.8	1 650	元月份测试
左堤	38 + 945—39 + 055	220	8.4	1 420	土工试验点
左堤	48 + 145—48 + 255	210	7.1	1 340	土工试验点
左堤	55 + 704—55 + 748	260	9.5	1 820	4m 间距
左堤	56 + 035—56 + 255	230	7.9	1 400	土工试验点
左堤	58 + 445—58 + 555	200	6.3	1 480	土工试验点
右堤	1 + 495—1 + 550	830	15.0	1 750	土工试验点
右堤	12 + 345—12 + 455	220	10.4	1 700	土工试验点
右堤	24 + 015—24 + 070	240	7.8	1 530	土工试验点

分析表4-3-6可知:所测堤防部位自堤顶以下可划分两个明显的速度层。其中第一层(即堤身)纵波速度多为200~310m/s(右堤测段1+495—1+550除外),层厚多为6.3~11.8m,主要反映的是堤身较干燥的粉细砂,而右堤1+495—1+550测段的堤身介质为砂卵砾石,故纵波速度较高,其值为830m/s;第二层(即堤基)纵波速度由于受地下水及岩性变化的影响,其值离散较大,其中左堤7+045—7+100和15+230—15+285两测段的纵波速度分别为780、1 020m/s,此值反映的是相对干燥砂砾石层的波速,而右堤1+495—1+550和12+345—12+455两测段的纵波速度为1 750、1 700m/s,此值反映的是相对潮湿砂砾石层的波速,其它测段的纵波速度为1 320~1 530m/s,其反映的是地下水位附近粉细砂层的波速。

由此分析可以得出:测试部位堤顶以下深约10m以内的堤身土体纵波速度一般为300m/s左右,此值属于波速较低的粉砂质壤土或粉细砂,而其下覆的地层介质纵波速度则较高,一般为1 500m/s左右。

此外,在上述地震测试位置有目的的选择10个测段进行现场密度实验,并取回土样在室内进行同密度的声波测试。表4-3-7列出了现场密度试验和室内声波测试及密度试验结果。

表4-3-7　　　　　　　　现场密度试验和室内土样声波测试及密度试验成果表

取土位置	声波速度 (m/s)	湿密度 (g/cm³)	干密度 (g/cm³)	取土位置	声波速度 (m/s)	湿密度 (g/cm³)	干密度 (g/cm³)
左堤7+060	300	1.51	1.39	左堤56+100	280	1.45	1.38
左堤15+250	370	1.41	1.33	左堤58+500	350	1.61	1.55
左堤21+090	290	1.54	1.41	右堤1+510	480	2.03	1.95
左堤39+000	300	1.46	1.41	右堤12+400	330	1.54	1.41
左堤48+200	310	1.57	1.45	右堤24+020	260	1.41	1.31

注:①取土深度距堤顶1.5m处的背水坡上进行;②湿密度为现场密度试验值;③干密度为室内密度试验值;④声波测试采用SD-1型声波仪和50kHz平面换能器。

分析表4-3-7可知:室内声波波速测试值为260~480m/s;现场湿密度为1.41~2.03g/cm³;室内干密度为1.31~1.95g/cm³。而堤体粉细砂的声波速度一般较低,其值为260~370m/s,现场湿密度为1.41~1.61g/cm³,室内干密度为1.31~1.55g/cm³。堤身砂卵砾石的声波速度为480m/s,湿密度为2.03g/cm³,干密度为1.95g/cm³。由此得出:除由砂卵砾石组成的堤身介质声波速度和密度值(湿、干)较高外,由粉砂质壤土或粉细砂组成的堤身介质声波速度和密度值(湿、干)均较低,表明由此介质填筑的堤体密实度较差。从表4-3-7中可看出:除砂卵砾石测段外其余堤段的地震波速度均小于室内声波波速,一般小于20%~30%。

为更直观地表征湿密度与地震波速、干密度与声波波速之间的相关关系,根据表4-3-6、表4-3-7可绘制出两两之间的散点图,说明它们之间具有一定的对应关系。

参 考 文 献

1　杜恒俭,等．地貌学几第四纪地质学．北京:地质出版社,1981
2　张忠胤．关于地上悬河地质理论问题．北京:地质出版社,1980
3　张文佑．断块构造导论．北京:石油工业出版社,1984
4　孙广忠．地质工程理论与实践．北京:地震出版社,1996
5　陈慧远,等译．最新土石坝工程学．北京:中国水利水电出版社,1983
6　李广诚,等．堤防工程地质勘察与评价．北京:中国水利水电出版社,2004
7　段永候．渤海海岸变迁及其环境效应．水文地质工程地质,2000(3)
8　张启岳．土石坝加固技术．北京:水利水电出版社,1999